Geert Jan Schuite
Weert
20 aug '87

ALBERT SCHWEITZER

EERBIED VOOR HET LEVEN

Hoofdstukken uit zijn ethiek

samengesteld, vertaald en ingeleid
door Hans Bouma

J. N. Voorhoeve, Den Haag

Omslag: Dick Prins
ISBN 90 297 0612 0

INHOUD

IS ER EEN BETERE ETHIEK?

Hans Bouma

In de geschiedenis der mensheid hebben zich talloze crises voorgedaan. Ons verleden staat stijf van alle mogelijke spanningen, conflicten, uitbarstingen en rampen. Maar wat zich ook in vorige eeuwen aan dramatische crises heeft afgespeeld, de crises die we in deze twintigste eeuw en dan met name sinds de Tweede Wereldoorlog meemaken, overtreffen alles. Nog nimmer waren we er als mensheid zo beroerd aan toe. In naam van wat we 'de Vooruitgang' noemen en gesteund en gestimuleerd door wetenschap en techniek, hebben we een reeks problemen in het leven geroepen, die qua omvang en structuur volstrekt uniek zijn en die ons regelrecht naar een immense katastrofe voeren.

Altijd hebben we elkaar met wapenen bedreigd, maar ons huidige bewapeningssysteem is een absoluut novum: voor het eerst in de historie zijn we in staat de planeet aarde met alles wat erop leeft in één klap te vernietigen. We zijn daar zelfs vele malen toe in staat. Men spreekt van een 'overkill' van 70 à 80. Wanneer we iets doen, doen we het grondig.

Ecologische verstoringen zijn er immer geweest. Hele culturen zijn zelfs bezweken aan de oorlog, die ze voerden met de natuur – een oorlog die ze wel móésten verliezen. Maar ook op dit zo vitale punt voltrekt zich vandaag weer iets unieks. Niet meer plaatselijk, maar mondiaal en op de meest ingrijpende wijze verkrachten en exploiteren wij de natuur. Bijna nergens ter wereld is nog ongerepte, stabiele natuur te vinden. Water en lucht worden vuiler en vuiler, de ene diersoort na de andere verdwijnt (sinds het begin van de achttiende eeuw

moesten maar liefst 480 hogere diersoorten het veld ruimen), en het meest angstaanjagende is wel, dat de wereldoceanen (de bronnen van het leven) stervende zijn. Ecologen, geen paniekzaaiers maar rustig registrerende wetenschappers houden ons voor, dat we, wanneer we ons gedrag niet drastisch veranderen, nog slechts twee, maximaal drie generaties te leven hebben.
De ongekende crises, waarmee wij vandaag geconfronteerd worden (en behalve aan de militaire en ecologische crisis, kunnen we ook denken aan de grondstoffen- en energiecrisis, de sociale crisis, de economische crisis en de culturele crisis) kunnen we op allerlei manieren duiden, maar de meest simpele en rake interpretatie zal wel zijn, dat we vandaag, minder dan ooit, weten wat goed voor ons is. We zijn totaal vervreemd van onze diepste behoeften. Op de weg van de Vooruitgang zijn we onszelf hopeloos kwijtgeraakt. Al die crises, waar we tot onze nek toe in zitten, wijzen uiteindelijk op de uiterst tragische identiteitscrisis, die we als mensheid doormaken.
Dit is een harde diagnose. Maar ze is onontkoombaar. De crises, waarin we ons bevinden, staan niet op zichzelf, maar zijn symptomen van onze éigen, humanitaire crisis. Het heeft dus geen enkele zin ze volgens het gebruikelijke procédé te lijf te gaan, dat wil zeggen: vrijblijvend, zó dat we zélf buiten schot blijven. Om de steeds rampzaliger wordende crises werkelijk de baas te worden, zullen we onszélf onder handen moeten nemen. Pas wanneer wij weer de nodige zekerheid omtrent onze identiteit hebben, is er hoop. Om passende oplossingen voor onze problemen te vinden, zullen we eerst onszelf moeten hervinden. Slaan we onszelf over, dan werken alle maatregelen die we nemen alleen maar averechts en stevenen we in een versneld tempo naar de afgrond.
Door het zó te stellen, brengen we onszelf wel in verle-

genheid. Want waarop moeten we in vredesnaam terugvallen, wanneer we op zoek gaan naar onszelf? Binnen welk kader, binnen welk richtinggevend zinsverband moet die fundamentele vraag aan de orde komen 'wat goed voor ons is'? Wat we dringend nodig hebben: een ethiek, die ons wegwijs maakt inzake goed en kwaad; een ethiek, die ons de taal verschaft, waarmee we onszelf kunnen definiëren; een ethiek, die ons leert wat 'leven' is. Maar deze ethiek ligt ver buiten onze culturele horizon. Wel dienen zich allerlei ándere 'ethische' modellen aan. Er wórdt wat 'ethiek' bedreven in onze dolgedraaide wereld! Maar we schieten er niet mee op. We komen steeds verder van huis. De in onze cultuur vigerende ethiek heeft een duidelijk ideologisch karakter: ze is partijdig, staat in dienst van een bevoorrechte groep, die zich koste wat het kost wenst te handhaven. Onze ethiek is groeps- is clanethiek.
Aan deze ideologische ethiek is het bijvoorbeeld te danken, dat de rijke landen steeds rijker en de arme landen steeds armer worden. Als bewoners van de rijke landen hebben we ethisch gezien maar één doelstelling: het prolongeren en versterken van onze elitaire positie.
Onze ideologisch gekleurde ethiek is er ook de oorzaak van, dat de natuur zo rigoureus wordt uitgebuit en vernietigd. Nog minder dan de Derde Wereld kan de natuur enig recht laten gelden. Moreel, ethisch, telt ze eenvoudig niet mee. Ze valt principieel buiten alle normen en waarden. Ze is enkel van belang, wanneer ze van belang is voor óns, rijke Westerlingen. De enige waarde, die ze heeft, is haar economische, haar commerciële waarde.
Ook al varen we in zekere zin, zij het op korte termijn, wél bij onze ideologische ethiek (ze brengt geld in 't laatje, betekent materieel gewin), ze bevredigt allerminst, wanneer we proberen uit te vinden wie we nu

eigenlijk zijn en wat onze ware bestemming is in deze wereld. We moeten juist zeggen, dat ze ons op onze moeizame speurtocht alleen maar frustreert. Door haar partijdigheid maakt ze het ons onmogelijk het antwoord op deze vragen te formuleren. Ze houdt ons namelijk gevangen in een positie, waarin onze eigenlijke identiteit en onze diepste bestemming per definitie worden ontkend. Ze heeft een mensbeeld, waar we als mens zonder meer op stukbreken. Ze gaat immers uit van de rijke, eenzelvige egoïst, die alles op alles zet om rijk, eenzelvig en egoïstisch te blijven. Ze gaat uit van de possessieve mens, die zich alleen met geweld op de been kan houden. Een mens, die permanent distantie schept en zo indruist tegen z'n meest wezenlijke aard en bestemming: toenadering zoeken, contact leggen, sámen-leven. Dáár is de mens op gebouwd, dát is zijn kracht.Het is hem gegeven over de muur van het eigenbelang heen te kijken, zijn leven met een ander of met iets anders te delen – het is hem gegeven solidair en barmhartig te zijn. Maar binnen de ideologische ethiek creëert de mens louter en alleen afstand – afstand ten opzichte van zijn medemensen, afstand ten opzichte van de natuur. En zo wordt hij steeds eenzamer, steeds minder mens. Hij komt in een gruwelijke crisis, hij verliest zichzelf, langzaam verschrompelt hij.

De toestand ziet er vrij hopeloos uit. Ook de meest geavanceerde ethische concepten, die vandaag worden gepresenteerd, zijn ideologisch bepaald – al was het alleen maar, omdat ze op antropocentrische vooronderstellingen berusten. Wie ze ook tot hun recht laten komen, niet de bomen, niet de planten, niet de dieren, niet de natuur. Stuk voor stuk poneren ze bij voorbaat de menselijke superioriteit ten aanzien van de niet-menselijke schepping. Stuk voor stuk stijven ze de mens in zijn uitbuitersmentaliteit.

Teleurgesteld in wat er op dit moment aan ethiek wordt geproduceerd, zouden we 's kunnen nagaan wat het verleden aan ethiek te bieden heeft. Nu, wie een poosje ronddwaalt in de geschiedenis van de Europese ethiek wordt er beslist niet vrolijker op. Ook hier is het weer één en al ideologie wat de klok slaat. Onze huidige ethiek is kennelijk niet zomaar uit de lucht komen vallen. Ze heeft zeer diepe wortels. Ze zit ons in het bloed. Maar laten we niet te snel afrekenen met het verleden. We zouden 's iemand over het hoofd kunnen zien – een uitzondering, een dwarsligger, een ketter, een genie, een bezielde, een profeet. We zouden de alle schema's en systemen doorbrekende en overstijgende Albert Schweitzer 's over het hoofd kunnen zien! Ik weet het, hij wordt door velen nauwelijks meer serieus genomen. Theologie, filosofie en ethiek weten geen raad met hem. Wat moeten ze met die dwaze idealist, die alle ethiek zo grof reduceerde tot dat onmogelijke adagium 'eerbied voor het leven'? Prachtig wat hij daar allemaal deed in Lambarene, maar met z'n dood in 1965 verloor hij toch wel iedere actuele betekenis. Albert Schweitzer heeft z'n tijd gehad. Hij is een legende en dat moet hij maar blijven ook.

Ik ben er echter diep van overtuigd, dat Schweitzer z'n tijd níét heeft gehad. Het is eerder zo, dat z'n tijd nog moet komen. Schweitzer was z'n tijd ver vooruit en ook wij zijn nog niet aan hem toe. Hebben we hem eigenlijk ooit wel 's goed laten uitspreken? Weten we wat hem uiteindelijk bewoog? We zijn zo vlug met classificeren. Vooral wanneer iemand niet past in het beeld, afwijkt van de door ons beleden dogma's, hebben we hem zomaar van onze etiketten voorzien, dat wil zeggen: onschadelijk gemaakt. Buitenbeentjes, ketters kunnen we niet gebruiken. We hebben al genoeg problemen.

Maar Schweitzer heeft toch ook veel bijval geoogst?

Mocht hij in 1954 zelfs niet de Nobelprijs voor de vrede in ontvangst nemen? En wordt zijn naam nog steeds niet genoemd? Het is allemaal waar, maar toch geloof ik, dat Schweitzer ondanks en dwars door alle waardering en bewondering die hem ten deel vielen een vreemde voor ons is gebleven. Wie hij werkelijk is, moeten we nog ontdekken.

Dit geldt ook voor mijzelf, hoewel ik me al jaren met hem bezighoud en hoewel ik me intens oriënteer aan zijn ethiek van de 'veneratio vitae'. Ondertussen is Schweitzer allerminst een heilige voor mij. Hij fascineert me juist, omdat hij zo door en door menselijk is. Ik zou ook kunnen zeggen: hij fascineert me, omdat hij zo onmiskenbaar weet wat 'leven' is. Tot zulke mensen voel ik me weergaloos aangetrokken. Maar waarom zijn ze zo zeldzaam?

Van meet af aan ben ik getroffen door Schweitzers credo: 'Ik ben leven, dat leven wil, te midden van leven, dat leven wil'. Deze even rationele als mystieke uitspraak sluit zó aan op mijn onmiddellijke ervaring en waarneming, dat ik haar wel móét beamen. In feite zijn het uiterst voor de hand liggende woorden. Maar ik was ze vergeten. Schweitzer scherpt ze me weer in en mét dat ik zijn belijdenis overneem, krijg ik als mens weer grond onder mijn voeten, herken ik mezelf in m'n ware gedaante en weet ik me opgenomen in dat grote, allesomvattende zinsverband, dat 'leven' heet. Schweitzer confronteert me met de diepste kern van mijn bestaan: ik ben leven, dat leven wil. En tegelijkertijd – en daarom spreekt hij zo'n verlossend woord – bepaalt hij mij bij al dat andere leven, dat leven wil. Ik ben niet de enige levende op aarde. Er is oneindig veel meer leven aan de hand, dan ik gestalte kan geven, menselijk leven, maar ook ander leven, creatuurlijk leven. En is dat geen troost? Ik moet er niet aan denken, dat ik er alleen

voorstond. Ik zou vergaan van eenzaamheid. Nee, ik word omríngd door leven – menselijk leven, dierlijk leven, plantaardig leven – en al dat leven bevestigt mij in m'n wil tot leven, het steunt mij en draagt mij én: het doet een beroep op mij. Ik heb het te beschermen, ik ben er verantwoordelijk voor. Het feit, dat ik als mens de enige ben, die zich realiseert dat de wil tot leven zich niet tot mijn existentie beperkt, maar universeel is en zich in talloze manifestaties openbaart, verplicht me tot meeleven, meelijden, solidariteit – verplicht me tot ethiek. En die ethiek definieert Schweitzer dan als 'onbegrensd geworden verantwoordelijkheid voor alles wat leeft'. 'Goed' is, aldus Schweitzer: 'leven behouden, leven bevorderen, leven dat nog niet ontplooid is tot z'n hoogste bestemming brengen'. En onder 'slecht' verstaat hij: 'leven vernietigen, leven aantasten, leven dat zich nog moet ontwikkelen afremmen, blokkeren'.
Is er een betere ethiek? Mij is er geen bekend. Terwijl de gangbare, ideologische ethiek de mens in een isolement drijft, plaatst de ethiek van eerbied voor het leven de mens midden in de gemeenschap, en dan de gemeenschap in de ruimste zin van het woord: de gemeenschap van alles wat adem heeft, de gemeenschap van medemensen én medeschepselen. En hoe schitterend komt de mens hier tot z'n recht in z'n unieke vermogen om mee te leven en mee te lijden, om solidair te zijn met al het geschapene. Hij slaat werkelijk een grandioos figuur. Zó is hij, de mens; dit is z'n ware identiteit. Is het niet zijn bestemming om afstanden te overbruggen, offervaardig zijn leven te delen – is het niet zijn bestemming om grenzeloos lief te hebben?
De ethiek van de eerbied voor het leven is niet partijdig, niet ideologisch gebonden. Ze kent maar één belang: het belang van alles wat leeft. En terwille van dit collectieve belang is ze bereid niet geringe offers te brengen. Is de

ideologische ethiek altijd en per definitie antropocentrisch, de ethiek van de eerbied voor het leven heeft een ecocentrisch uitgangspunt. Niet alleen het leven van de mens, maar ál het leven is haar heilig. Ze hoedt zich voor discriminatie. Een dier heeft evenzeer recht op bestaan als een mens. Maar inderdaad, ook een mens heeft recht op bestaan. En daarom wijdde Albert Schweitzer, de profeet van de eerbied voor het leven in het algemeen, zich als arts in Lambarene tientallen jaren aan het redden van ménsenlevens. En om dezelfde reden riep hij in 1958, inmiddels 83 jaar oud, via z'n befaamde Oslo-appèls de wereld op resoluut te breken met de waanzin van de atoombewapening.

In deze eeuw van ongekende, katastrofale crises ervaar ik de ethiek van Albert Schweitzer als een genade. Nu uit al die crises zo dramatisch duidelijk wordt, dat we niet meer weten wat goed voor ons is, kan de ethiek van de eerbied voor het leven ons tot bezinning brengen. Zij alleen is in staat ons bij onze diepste naam te noemen. Zij alleen kan ons leren wat wérkelijk ons belang dient. Zij alleen kan ons leren wat geluk is.

Al zo'n 10 jaar maak ik me de grootste zorgen over de meedogenloze wijze, waarop wij de schepping exploiteren. Wat wij met de natuur uithalen, en vooral wat we met onze naaste medeschepselen, de dieren, uitspoken (ik denk alleen maar aan het schandaal van de bio-industrie), is ronduit ten hemel schreiend. Het is de ethiek van de eerbied voor het leven geweest, die me destijds wakker schudde en tot protest bracht. En nog steeds brengt deze ethiek me tot protest. Ik ontleen er in hoge mate mijn inspiratie aan. Ik heb er niet van terug. Schweitzers ethiek ontroert me, maakt me weerloos – en juist zo maakt ze me uiterst weerbaar en militant in de strijd, die ik met zoveel anderen voer voor het behoud van de schepping. Daarbij kost het me geen enkele

moeite Schweitzers ethiek te integreren in mijn christelijk geloof. De ethiek van de zogenaamde 'vrijzinnige' Schweitzer doet veel meer recht aan het bijbels ethos dan de traditionele ethiek van het orthodoxe Christendom. Schweitzer was zich er ook wel van bewust, dat hij met zijn ethiek duidelijk in de traditie van het bijbels getuigenis stond. Ergens schrijft hij: 'De ethiek van de eerbied voor het leven is de in universele dimensies uitgebreide ethiek van de liefde. Zij is de als logisch noodzakelijk erkende ethiek van Jezus'.
Maar behalve met betrekking tot de ecologische crisis kan Schweitzers ethiek ons ook ten aanzien van die andere crises een uitweg wijzen. Het principe 'eerbied voor het leven' beveelt ons een grondhouding aan, die op werkelijk ieder terrein een heilzame revolutie kan ontketenen. Maar om dat te ontdekken, moeten we de ethiek van de eerbied voor het leven wel creatief en genuanceerd uitwerken en toepassen. Schweitzers ethiek is geen middeltje, waarmee we zomaar al onze kwalen kunnen oplossen. De ethiek van Schweitzer bevat bergen conflictstof, en als iemand daar oog voor heeft gehad, dan Schweitzer zelf wel. Hoezeer heeft hij geleden onder het gruwelijke raadsel, dat de ene manifestatie van leven zich alleen maar kan handhaven ten koste van andere manifestaties van leven. Schweitzer heeft geweten, dat we telkens weer moeten afwegen, kiezen – dat we telkens weer moeten beschikken over leven en dood. En hoe onze beslissing ook uitvalt, we houden er nooit schone handen bij. 'Het goede geweten', aldus Schweitzer, 'is een uitvinding van de duivel'.
Wie Albert Schweitzer wil leren kennen, moet niet zozeer óver hem lezen – hij moet hem zélf lezen. Daarom rond ik deze inleiding nu maar snel af om Schweitzer zélf aan het woord te laten. Het was niet zo eenvoudig uit het zo rijke oeuvre van Schweitzer voor deze uitgave

een representatieve selectie te maken. Toch heb ik het gevoel, dat de 10 volgende teksten (preken, toespraken, essays, steeds integraal vertaald) u vertrouwd kunnen maken met Schweitzers denk- en leefwereld. Maar dat laatste is een pleonasme, want Schweitzers denken was z'n leven en z'n leven was z'n denken. Schweitzer dacht en leefde als een man uit één stuk (hoe treffend bewees hij de waarheid van zijn ethiek daar in Lambarene!) – en juist daardoor overtuigt hij ons misschien nog wel het meest. Albert Schweitzer was een compleet mens. Hij is onvergetelijk, een bron van inspiratie, een onmisbare gids naar de wereld van morgen.

1. HET ONTSTAAN VAN DE LEER VAN DE EERBIED VOOR HET LEVEN EN HAAR BETEKENIS VOOR ONZE CULTUUR

Lambarene, 21 april 1963

Vanaf mijn vroegste jeugd móést ik me wel het lijden van dieren aantrekken. Al voordat ik naar school ging, vond ik het hoogst onbegrijpelijk, dat ik in mijn avondgebed alleen maar voor ménsen moest bidden. Nadat mijn moeder met mij had gebeden en mij goedenacht had gekust, bad ik daarom heimelijk een door mij zelf vervaardigd aanvullend gebed voor alle levende schepselen. Het luidde: 'Lieve God, neem alles wat adem heeft in bescherming en zegen het, bewaar het voor alle kwaad en laat het ongestoord slapen'.

Toen ik zeven of acht was, kwam ik diep onder de indruk van het volgende voorval. M'n vriendje Heinrich Braesch en ik hadden van gummibanden kattepullen gemaakt, waarmee je kleine steentjes kon wegschieten. Het was in het voorjaar, in de lijdenstijd. Op een zonnige zondagmorgen zei hij tegen me: 'Kom, we gaan naar de wijnberg om vogels te schieten'.

Het leek me een verschrikkelijk idee, maar ik durfde niet tegen te sputteren omdat ik bang was dat hij me dan zou uitlachen.

We kwamen in de buurt van een kale boom, waarin argeloze vogels luidkeels hun lieflijke liederen de morgen inzongen. Zich bukkend als een jagende Indiaan, stopte Heinrich een kiezelsteentje in de zak van z'n kattepul en spande hem. Hij keek me daarbij zó gebiedend aan, dat ik hetzelfde deed – met een geweldige gewetenswroeging en vast van plan ernaast te schieten. Terwijl de zon scheen, en dwars door het gezang van de

vogels héén begonnen op datzelfde moment de kerkklokken te luiden. Het was het 'vroege luiden', dat een half uur plaatsvond vóór het 'grote luiden', dat de gelovigen naar de kerk riep.
Ik ervoer het als een stem uit de hemel. Ik smeet m'n kattepul weg, maakte de vogels aan het schrikken zodat ze wegvlogen en veilig waren voor de kattepul van m'n vriendje en rende naar huis.
En telkens wanneer het weer lijdenstijd is en de klokken in de voorjaarszon over de kale bomen luiden, herinner ik mij ontroerd en dankbaar hoe zij me eens het gebod 'Gij zult niet doden' in het hart hebben geluid.
Ik was zeer geïmponeerd door de in mijn jeugd opkomende beweging van de dierenbescherming. Eindelijk waren er mensen, die openlijk durfden uitspreken, dat medelijden met dieren iets natuurlijks is, iets dat tot de ware menselijkheid behoort, en dat men zich voor deze waarheid niet moet afsluiten. Ik had het gevoel, dat er in de mist der reflectie een nieuw licht doorbrak en dat dit steeds sterker zou worden.
In 1893 ging ik filosofie en theologie studeren aan de Universiteit van Straatsburg. In die laatste jaren van de 19e eeuw maakten we als studenten iets spectaculairs mee: de publikatie van de zo verschillend geaarde werken van Nietzsche en Tolstoi.
Friedrich Nietzsche (1844-1900) werd, onmiddellijk na de beëindiging van zijn studie, in Basel benoemd tot hoogleraar klassieke filologie. Hij beperkte zich echter niet tot de bestudering van de klassieke Griekse cultuur, maar hield zich ook bezig met het probleem van de cultuur en de geest van de cultuur in het algemeen. Vanaf 1880 keerde hij zich fel tegen de samen met de Griekse filosofie en het Christendom in Europa opgekomen cultuur. Hij verweet deze cultuur, dat zij beheerst werd door de geest van zwakke en vreesachtige mensen. Aan

hén was het te danken, dat de ethiek was ontstaan, die liefde voor medemensen eist. De theorie van de naastenliefde bedachten ze om er zelf door beschermd te worden – om dezelfde reden ontwikkelden ze ook de hoop op de eeuwige zaligheid.
De ethiek van de ware cultuur, zoals Nietzsche zich die voorstelt, eist echter alleen een trotse en dappere aanvaarding van het leven. De 'Übermensch' gehoorzaamt niet aan de 'slavenmoraal' van de liefde, maar aan de heersersmoraal van de 'wil tot macht'.
Deze nieuwe, door Nietzsche met verheven pathos gepresenteerde visie op het wezen van de cultuur en de ethiek, maakte in die tijd grote indruk, vooral op de jongeren.
In diezelfde laatste jaren van de 19e eeuw werden echter de werken van Tolstoi (1828-1910) gepubliceerd. De Russische schrijver en denker gaf in zijn romans en verhalen van een totaal andere instelling blijk dan de Germaanse. Hij koos voor de ethische cultuur. Deze vormde voor hem de diepe waarheid, waartoe hij al denkend en handelend gekomen was. In zijn verhalen liet hij ons meebeleven, op welke manier het besef omtrent de ware menselijkheid en de eenvoudige vroomheid tot hem was doorgedrongen.
Zo werden wij, jongeren tegen het eind van de 19e eeuw, met twee verschillende wereldbeschouwingen geconfronteerd.
In deze situatie beleefde ik een grote teleurstelling. Ik had verwacht, dat de godsdienst en de filosofie Nietzsche samen onder handen zouden nemen en hem krachtig zouden tegenspreken. Maar dit gebeurde niet. Wel gingen ze ertegen in. Maar naar mijn gevoel waren ze niet in staat en deden ze ook geen echte poging de ethische cultuur zó grondig te funderen als de strijd, die Nietzsche ertegen voerde, noodzakelijk maakte.

In de tijd, dat de 19e eeuw bijna ten einde liep, begon ik mij als student te verdiepen in de vraag, of onze cultuur nog werkelijk wel beschikte over de vereiste ethische krachten. Dit bracht me ertoe me bezig te houden met het probleem van de cultuur en de ethiek, zoals dat voor de filosofie speelde vanaf 1850 tot aan het eind van de 19e eeuw.
Uit de belangrijkste filosofische literatuur, die gedurende deze periode in Europa verscheen, maakte ik op, dat deze de cultuur en de ethiek eigenlijk niet meer als problematisch ervoer, maar beschouwde en overnam als gevestigde geestelijke verworvenheden.
Ik kon me ook niet aan de indruk onttrekken, dat die definitief geachte ethiek aan de mens en aan de gemeenschap geen hoge eisen stelde. Ze was een 'tot rust gekomen' ethiek.
Toen men tegen het einde van de eeuw in tal van opzichten terugblikte en om zich heen keek om een balans op te maken van alle behaalde successen, was men vervuld van een voor mij onbegrijpelijk optimisme. Overal scheen men er vanuit te gaan, dat we niet alleen wat uitvindingen en kennis betreft de nodige vooruitgang hadden geboekt, maar ook dat we ons op een geestelijk en ethisch niveau bewogen, dat nog nooit eerder was bereikt en dat we ook nimmer meer zouden verliezen.
Míj leek het echter toe, dat we vorige generaties geestelijk gezien niet alleen níét ingehaald hadden, maar ook dat veel van hun geestelijke rijkdommen in verval raakten . . . en dat zelfs een belangrijk deel van dit erfgoed ons door de vingers begon te glippen.
Het trof me diep bij allerlei gelegenheden weer te moeten constateren, dat wanneer bepaalde inhumane ideeën openlijk werden uitgesproken deze niet werden afgewezen en veroordeeld, maar eenvoudig getolereerd. De belangenpolitiek maakte furore. Nietzsches

'wil tot macht' begon z'n noodlottige rol te spelen. Het op zoveel terreinen aangeheven parool 'belangenpolitiek' bereidde Nietzsche de weg. Het kwam mij voor alsof een geestelijke en psychische moeheid het op arbeid en prestatie zo trotse geslacht in bezit had genomen.
Meer en meer ging ik me bezighouden met de cultuur en de ethiek van de laatste decennia van de 18e eeuw.
Ik besloot een diepgravende kritische studie te schrijven over de geestelijke situatie van de tijd, waarin ik leefde. Het werk zou de titel 'Cultuur en Ethiek' moeten hebben. Omdat ik echter de indruk had, dat we ons in een periode van geestelijke aftakeling bevonden, was ik geneigd het 'Wij epigonen' te noemen.
De zomer van 1900 bracht ik door aan de Universiteit van Berlijn. Ten huize van de weduwe van de grote hellenist Ernst Curtius ontmoette ik regelmatig interessante Berlijnse wetenschappers. Op een middag kwamen de leden van de 'Pruisische Academie van Wetenschappen', die zojuist een bijeenkomst van de Academie achter de rug hadden, daar koffie drinken. Ze gingen door met de discussie, die ze op de Academie gevoerd hadden. Plotseling zei één van de heren, als afronding van het gesprek: 'Ach, we zijn allen toch maar epigonen'. Deze opmerking sloeg als een bliksem bij me in. Ik was dus niet de enige, die zich realiseerde dat we in een tijd van epigonen leefden!
In één van de eerste jaren van de pas begonnen 20ste eeuw trok ik er de nodige tijd voor uit om de filosofische literatuur over de ethiek van de laatste decennia te bestuderen. Ik had hierbij de bedoeling me speciaal te concentreren op wat deze literatuur te melden had over onze verhouding ten opzichte van het geschapene.
De meeste werken, die ik doornam, beschouwden deze kwestie als iets secundairs. Slechts weinige gingen er op in.

Sommige auteurs meenden zich er zelfs voor te moeten excuseren, dat zij het nodig vonden compassie met de dieren te hebben, aangezien deze toch op een ander ontwikkelingsniveau dan wij stonden. Nauwelijks kwam ik ergens de gedachte tegen, dan men meer accent moet leggen op het medelijden met de dieren.
Voor mij stond het echter als een paal boven water, dat ook de filosofische ethiek ruimte moest bieden voor de eis van een goede en eerlijke relatie met de dieren. Het zou haar allerminst misstaan, wanneer zij de vrienden van de dierenbescherming te hulp kwam en hun activiteiten vanuit het standpunt van het denken zou rechtvaardigen.
In het voorjaar van 1913 voer ik, na de voltooiing van mijn studie medicijnen, met mijn vrouw naar Frans Equatoriaal Afrika om bij het in 1872 door het Amerikaanse Presbyteriaanse Zendingsgenootschap in Lambarene gestichte zendingsstation een ziekenhuis te bouwen. Van Elzasser zendelingen, die in die omgeving werkzaam waren, had ik gehoord, dat men er dringend een arts nodig had. Het was de tijd van de strijd tegen de slaapziekte – een ziekte, die in Equatoriaal Afrika talloze slachtoffers maakte.
In mijn bagage had ik genoeg filosofische literatuur gestopt om aan 'Wij epigonen' verder te kunnen werken.
In augustus 1914 brak de Eerste Wereldoorlog uit. Mijn positie in Frans Equatoriaal Afrika werd daardoor uiterst penibel. Als Elzassers bezaten mijn vrouw en ik de Duitse nationaliteit. Dit had ons niet verhinderd naar de Franse kolonie af te reizen en daar een ziekenhuis te bouwen. Maar nu we ons in een oorlogssituatie bevonden en mijn vrouw en ik Duitsers waren, moesten wij als vijanden beschouwd en behandeld worden.
Meteen op de avond van de eerste oorlogsdag werd ons meegedeeld, dat we ons als gevangenen hadden te gedra-

gen. We mochten in ons huis blijven, maar alle contact met zwarten of blanken moesten we opgeven. Als bewakers posteerden zich een zwarte onderofficier en vier zwarte soldaten voor ons huis.
Omdat men mij verboden had in het ziekenhuis te werken, had ik nu de tijd om mij te verdiepen in de thematiek, die me al jaren intrigeerde en die door het uitbreken van de oorlog zo actueel was geworden – het probleem van 'Cultuur en Ethiek'.
Thans woedde de oorlog als een symptoom van de aftakeling van de cultuur. 'Wij epigonen' kwam als titel van het boek nu niet meer in aanmerking.
Waarom alleen maar kritiek op de cultuur? Waarom ermee volstaan onszelf als epigonen te karakteriseren? Thans vergden de tijdsomstandigheden positieve en opbouwende arbeid.
Ik begon nu te zoeken naar de geestelijke achtergrond van het feit, dat de ethische cultuur, zoals dat door het uitbreken van de oorlog aan het licht kwam, haar kracht had verloren. Ook toen eind november onze internering werd opgeheven, ging ik met m'n studie door. Ondertussen beklaagden zwarten en blanken zich erover, dat zij zonder duidelijke reden beroofd waren van de enige arts, die er in de wijde omtrek te vinden was. Ook hadden mijn vrienden in Parijs er bij de regering op aangedrongen, dat ik een behoorlijke behandeling zou krijgen.
Naast de arbeid, die ik nu weer in het ziekenhuis kon verrichten, vond ik toch nog de tijd om me verder bezig te houden met het probleem van het krachteloos worden van de ethische cultuur.
Thans stond ik voor de fundamentele vraag hoe er een duurzame, meer diepgaande en vitale ethische cultuur van de grond zou kunnen komen.
De voldoening over het feit, dat ik het probleem gesig-

naleerd had, duurde niet lang. Maand na maand ging voorbij, zonder dat ik ook maar een stap dichter bij de oplossing van dit probleem was gekomen. Alles, wat de filosofie mij over ethiek geleerd had, liet me in de steek. De povere schetsen voor mijn boek nam ik met me mee, toen ik tegen het einde van de zomer 1915 met m'n vrouw in verband met haar gezondheid naar het aan zee gelegen Kaap Lopez ging.

In september 1915 kreeg ik daar bericht, dat op het zendingsstation N'Gômô de vrouw van de Zwitserse zendeling Pelot ziek was en dat men wachtte op mijn komst.

Nu moest ik dus 200 km de rivier de Ogowe opvaren. Het enige schip, dat ik op dat moment kon vinden, was een kleine, oude stoomboot, die twee grote, zwaar beladen aken moest slepen en juist op het punt stond te vertrekken. Aan boord bevonden zich alleen nog een paar zwarten. Omdat ik mij in alle plotselinge haast niet van proviand had kunnen voorzien, mocht ik met hen uit de grote kookpot mee eten.

Slechts langzaam kwamen we, moeizaam stroomopwaarts varend, vooruit. Het was het droge jaargetijde. Manoeuvrerend tussen grote zandbanken moesten we onze weg zoeken.

Ik zat op één van de aken. Ik had me voorgenomen me tijdens deze reis volledig te concentreren op het probleem van de opkomst van een cultuur, die meer ethische diepgang en meer energie zou bezitten dan de onze. Vel na vel schreef ik vol met onsamenhangende zinnen, enkel en alleen om het probleem scherp voor ogen te houden. Vermoeidheid en radeloosheid verlamden mijn denken.

Op de avond van de derde dag, toen we ons tegen zonsondergang in de buurt van het dorp Igendja bevonden, passeerden we een eiland in de meer dan een kilo-

meter brede rivier. Op een zandbank, aan de linkerkant, liepen vier nijlpaarden in dezelfde richting als wij. Toen kwam ik, zo afgemat en moedeloos als ik was, plotseling op het begrip 'eerbied voor het leven' – een begrip, dat ik, voor zover ik weet, nooit eerder had gehoord en gelezen. Terstond begreep ik, dat dit begrip de oplossing in zich herbergde van het pobleem, waarmee ik worstelde. Het werd mij duidelijk, dat de ethiek, die alleen maar te maken heeft met onze verhouding tot onze medemensen, onvolledig is en daarom in kracht moet tekort schieten.
Compleet en grenzeloos vitaal is alleen de ethiek van de eerbied voor het leven. Zij inspireert ons niet alleen met mensen, maar met alle schepselen, die binnen onze horizon komen, een relatie aan te gaan en het lot van die schepselen ons aan te trekken – zodat we proberen te vermijden ze te benadelen en zodat we vast besloten zijn om ze, voor zover dat in ons vermogen ligt, in noodsituaties bij te staan. Meteen begreep ik, dat deze elementaire, complete ethiek een totaal andere diepte, een totaal andere vitaliteit en een totaal andere energie bezit dat de ethiek, die alleen uitgaat van mensen.
Door de ethiek van de eerbied voor het leven komen we in een geestelijke verhouding tot het universum te staan. De verinnerlijking, die wij dank zij haar beleven, verleent ons de wil en de mogelijkheid een geestelijke, ethische cultuur te scheppen, waardoor we op een veel verhevener wijze dan voorheen ons thuis voelen in de wereld en er onze activiteiten ontplooien. Door de ethiek van de eerbied voor het leven worden wij andere mensen.
Ik kon maar niet begrijpen, dat de weg tot een diepere en sterkere ethiek, die ik tevergeefs had gezocht, mij als in een droom geopenbaard was.
Nu was ik in staat het beoogde werk over cultuur en

ethiek te schrijven. Bij het invallen van de nacht arriveerden wij in N'Gômô. Twee dagen had ik nodig voor de behandeling van de zieke vrouw van de zendeling. Daarna deed zich de gelegenheid voor de rivier weer af te varen. Na een paar dagen keerden mijn vrouw en ik naar Lambarene terug.

Hier maakte ik dan, in de vorm van een schets, een begin met mijn werk over cultuur en ethiek. De opzet was eenvoudig. In het eerste deel zou ik een overzicht moeten bieden van de visies op cultuur en ethiek, zoals die bij de belangrijkste denkers – denkers uit het verleden en contemporaine denkers – te vinden waren.
In het tweede deel zou ik me moeten bezighouden met het wezen van de ethiek, de eerbied voor het leven en met haar betekenis voor de cultuur.
In het bewustzijn van de mens draait alles om het fundamentele gegeven: 'Ik ben leven, dat leven wil, te midden van leven, dat leven wil'.
De mens, die zich het denken heeft eigen gemaakt, weet zich geroepen alle wil tot leven dezelfde eerbied voor het leven te bewijzen als zijn eigen wil tot leven. Het andere leven beleeft hij in het leven dat hijzelf leeft. Onder 'goed' verstaat hij: leven behouden, leven bevorderen, leven dat nog niet ontplooit is tot z'n hoogste bestemming brengen. Onder 'slecht': leven vernietigen, leven aantasten, leven, dat zich nog moet ontwikkelen, afremmen, blokkeren. Dit is het logisch noodzakelijke, universele, absolute grondprincipe van het ethische.
De tot nog toe gepleegde ethiek is onvolkomen, omdat zij meent zich te moeten beperken tot de verhouding mens-mens. In werkelijkheid gaat het er echter om, hoe de mens zich verhoudt tegenover alle leven – al het leven, waarmee hij te maken krijgt. Ethisch is de mens

alleen, wanneer het leven als zodanig hem heilig is, het leven van de mens en het leven van al het geschapene.
Enkel de ethiek, die uitgaat van het leven in grenzeloos geworden verantwoordelijkheid jegens alles wat leeft, laat zich in het denken funderen. De ethiek, die handelt over de verhouding mens-mens, staat niet op zichzelf, maar is afgeleid van die algemene conceptie. De eerbied voor het leven, die wij mensen zullen moeten belijden, omvat dus alles wat als liefde, toewijding, medelijden, deelgenootschap in vreugde en solidariteit in aanmerking kan komen. We moeten ons bevrijden van het nonchalante er-maar-op-los-leven.
Nu zijn we echter allen onderworpen aan het raadselachtige en gruwelijke lot telkens weer in een situatie te komen, waarin we ons leven alleen maar ten koste van ander leven kunnen behouden en door aantasting, ja zelfs ook door vernietiging van leven steeds schuldiger worden.
Als ethische mensen proberen wij, voor zover het ons mogelijk is, hoe langer hoe meer aan deze noodwendigheid te ontsnappen. Wij smachten ernaar onze humaniteit te mogen bewaren en verlossing van lijden te kunnen bewerkstelligen.
De eerbied voor het leven, die ontstaan is in de denkend geworden wil tot leven, behelst dus zowel levensaanvaarding als ethiek en integreert die twee. Ze spant zich in díe vooruitgang te realiseren en díe waarden te scheppen, die de materiële, geestelijke en ethische ontwikkeling van de mens en de mensheid dienen.
Terwijl de onverschillige, niet-denkende wereld- en levensaanvaarding ronddoolt in de idealen van het weten, het kunnen en het machtig worden, is het ideaal van het ware en diepe denken de geestelijke en ethische voltooiing van de mens en de mensheid en de opkomst van een ethische cultuur, die vrede wil en de oorlog afzweert.

Alleen het denken, waarin de mentaliteit van de eerbied voor het leven de dienst uitmaakt, is in staat een tijd van wereldwijde vrede te laten aanbreken. Alle diplomatieke, uiterlijke inspanningen om de vrede te bewerkstelligen blijven zonder succes.
Er moet een nieuwe Renaissance komen, en een veel grotere dan die waarmee we ons aan de Middeleeuwen ontworstelden: de geweldige Renaissance, die de mensheid ertoe brengt zich te bevrijden van het armzalige realiteitsbesef, waarin hij maar raak leeft, en de stap te doen naar de mentaliteit van de eerbied voor het leven.
Alleen door de werkelijk ethische cultuur wordt ons leven zinvol, alleen zíj kan de mens ervoor bewaren in zinloze, afgrijselijke oorlogen ten onder te gaan. Zíj alleen kan een algemene toestand van vrede in de wereld laten aanbreken.

In september 1917 werd ons meegedeeld, dat wij, als krijgsgevangenen in de Franse koloniën, onmiddellijk naar Europa moesten vertrekken.
Dit bevel kwam van de minister van oorlog Clemenceau. Hij was bang, dat men in de koloniën niet streng genoeg toezicht op ons zou houden. Gevangenen uit de Westelijke kuststreek van Afrika moesten naar Bordeaux worden gebracht.
We boften dat de boot, waarmee we naar Europa zouden reizen, een paar dagen vertraging had, zodat we tijd hadden onze bezittingen in te pakken en in een barak van het zendingsstation onder te brengen. Op de boot mochten we maar 50 kilo bagage meenemen.
De schetsen van m'n cultuurfilosofie konden onmogelijk mee. Ze waren immers in het Duits geschreven. Bij één of andere bagagecontrole op de boot of aan wal zou een willekeurige onderofficier er zo beslag op leggen.
Daarom vertrouwde ik ze toe aan een goede vriend, de

Amerikaanse zendeling Ford, die verbonden was aan het zendingsstation te Lambarene. Hij bekende me, dat hij het pakket het liefst in de rivier had gegooid, omdat hij filosofie als overbodig en schadelijk beschouwde. Maar uit christelijke liefde wilde hij het voor mij bewaren en het me aan het eind van de oorlog toezenden. Enigszins gerustgesteld kon ik zo met mijn vrouw de ons opgelegde reis naar Bordeaux aanvangen.
Via Bordeaux kwamen we in het grote interneringskamp van Garaison terecht. Het oude klooster van Garaison (een plaatselijke versie van 'guérison') was in de Middeleeuwen een beroemd bedevaartsoord, waar mensen uit het verre Rusland naar toe trokken. Sinds de enige jaren daarvóór in Frankrijk ingevoerde scheiding van kerk en staat had het leeg gestaan en begon het ook al wat in verval te raken. Bij het uitbreken van de oorlog werden hier echter honderden burgers uit vijandelijke staten, zowel mannen als vrouwen en kinderen, ondergebracht. In de loop van het eerste jaar werd het weer enigermate opgeknapt door de ambachtslieden, die zich onder de geïnterneerden bevonden.
De kampcommandant, die wij meemaakten, een gepensioneerde ambtenaar uit de koloniën, genaamd Vecchi, was theosoof en hij vervulde zijn plicht niet alleen op een rechtvaardige, maar ook op een vriendelijke wijze – wat des te meer op prijs werd gesteld, aangezien zijn voorganger een streng en onverbiddelijk regime had gevoerd. Merkwaardig genoeg was ik de enige arts onder de vele geïnterneerden. In het begin verbood de commandant me om me met de zieken te bemoeien, omdat dit de taak was van een ambtelijk aangestelde kamparts, een oude plattelandsdokter uit de omgeving. Na een paar weken leek het hem toch juist, dat ik als arts het belang van het kamp zou dienen. Hij stelde mij een kamer ter beschikking waar ik m'n werk zou kunnen doen en boven-

dien kregen mijn vrouw en ik nog een kamer voor onszelf.
Dus was ik nu weer arts. Wat me aan vrije tijd overbleef, besteedde ik aan 'Cultuur en Ethiek'. Ik probeerde de schetsen voor dit werk uit mijn herinnering op te schrijven, voor het geval dat ik het in Lambarene verblijvende origineel niet terug zou krijgen.
In het voorjaar van 1918 kwam er bevel uit Parijs, dat mijn vrouw en ik naar het uitsluitend voor Elzassers bestemde kamp van St. Remy, in de Provence, in Zuid-Frankrijk getransporteerd moesten worden. Tevergeefs had de kampcommandant, die mij graag als arts voor het kamp wilde behouden, verzocht dit bevel ongedaan te maken. Ook het kamp te St. Remy bevond zich in een verlaten klooster. Omdat één van de geïnterneerden arts was, had ik voorlopig niets met zieken te maken en kon ik me de hele dag met de schetsen van 'Cultuur en Ethiek' bezig houden. Toen mijn collega een poosje later er zijn tijd had opzitten en weer naar huis mocht, werd ik kamparts. Ik had hier echter minder te doen dan in Garaison.
Vooral met het oog op mijn vrouw was ik zeer verheugd, toen we half juli 1918 te horen kregen, dat we allen uitgewisseld zouden worden tegen Franse geïnterneerden in Duitsland. Reeds de komende dagen zouden we via Zwitserland naar de Elzas terug kunnen keren.
De in Garaison en St. Remy vervaardigde schetsen van 'Cultuur en Ethiek', die ik al daarvóór aan de censor van het kamp had laten zien, mocht ik, nadat deze de vele kantjes van zijn stempel had voorzien, meenemen. Nu kon ik er zeker van zijn, dat niemand ze mij op m'n terugreis kon afpakken.
In Straatsburg bood de burgemeester mij een assistentsplaats in het Burgerziekenhuis aan – een kans, die ik dankbaar aangreep. Tegelijkertijd werd ik weer hulp-

prediker van de St. Nicolaikerk, die een vacature had omdat de Elzassische predikant die eraan verbonden was wegens een al te pro Duitse gezindheid naar Duitsland was uitgewezen. Als woning kreeg ik nu de pastorie.
De spaarzame vrije tijd, die mijn beide functies mij lieten, besteedde ik natuurlijk aan het nieuwe concept voor 'Cultuur en Ethiek'. Het werd omvangrijker en vollediger dan het concept, dat ik in Lambarene had achtergelaten.
Enkele dagen vóór Kerstmis 1919 kreeg ik een telegrafische uitnodiging van de Zweedse aartsbisschop Nathan Söderblom om aan de Universiteit van Uppsala, waarvan hij tegelijk rector was, onder auspiciën van de 'Olaus-Petri-Stichting' na Pasen 1920 een reeks voordrachten te houden. Ik betekende dus nog iets in Europa! Tot nog toe beschouwde ik mezelf als een onder een kast gerold dubbeltje.
Als thema stelde ik de aartsbisschop 'Cultuur en Ethiek' voor. Hij ging hiermee akkoord.
In Uppsala vond ik voor de eerste maal een klankbodem voor de ideeën, die me al zo vele jaren vervulden.
Tijdens de laatste voordracht, waarin ik de grondgedachten van de eerbied voor het leven samenvatte, was ik zo ontroerd, dat ik slechts met moeite kon spreken. Ontroerd echter waren ook m'n toehoorders door de nieuwe en diepere fundering van de ethiek. M'n opvattingen kregen ook de bijval van aartsbisschop Söderblom. Vanaf die dag verbond ons een hechte vriendschap.
Toen hij merkte, dat ik financiële zorgen had vanwege de grote schulden, die ik tijdens de oorlog voor het runnen van het ziekenhuis in Lambarene had gemaakt, adviseerde hij me in Zweden, dat er door de oorlog geldelijk niet minder op geworden , met orgelconcerten

en voordrachten de nodige contanten bij elkaar te krijgen en hij voorzag me van recommandaties voor de diverse steden, waar ik naartoe ging.
In de loop van enkele weken verzamelde ik op deze manier zóveel geld, dat ik niet alleen de voor het ziekenhuis gemaakte schulden kon afdragen, maar ook nog wat geld bezat om het ziekenhuis in Lambarene uit te bouwen.
Kort nadat ik in Straatsburg teruggekeerd was, ontving ik daar via de post het pakket met de eerste schetsen van'Cultuur en Ethiek', dat ik zendeling Ford in Lambarene in bewaring had gegeven. Zo beschikte ik voor de uitwerking van de definitieve tekst van dit werk ook over het eerste concept.
Tijdens dit eerste verblijf in Europa na de Eerste Wereldoorlog vond ik nog weer gelegenheid in voordrachten aan de Universiteiten van Oxford, Cambridge, Kopenhagen en Praag de thema's van 'Cultuur en Ethiek' te presenteren. Overal ontmoette ik er belangstelling en begrip voor. Het was duidelijk voor mij, dat men zich realiseerde hoe deze elementaire fundering van ethiek allerlei andere funderingen overtrof.
In gesprekken, die ik over de ethiek van de eerbied voor het leven had te voeren, kreeg ik herhaaldelijk te horen, dat mijn boodschap eigenlijk een herhaling was van die van de heilige Franciscus van Assisi (1182-1226). Ik was ook zelf al op dat idee gekomen. Sedert mijn studententijd was ik een groot bewonderaar van deze grandioze heilige.
Als een hemelse boodschap had hij de verbroedering van mens en schepping gepredikt. Voor zijn toehoorders was het vrome poëzie. Maar zij kwamen er niet toe zich in te spannen voor de realisering van deze boodschap op aarde. In de vroomheid van de door Franciscus gestichte orde leven de ideeën van de heilige onmerkbaar en verborgen voort.

In de ethiek van de eerbied voor het leven treedt de boodschap van Franciscus het menselijk denken als een elementaire eis tegemoet, die zonder pardon aandringt op verwezenlijking.

Begin 1923 was de kopij van 'Cultuur en Ethiek' persklaar. Hoe kwam ik echter aan een uitgever? Het leek me toe, dat ik bitter weinig kans maakte. Heel Duitsland dweepte in die tijd met Spenglers fascinerende, briljant geschreven werk 'Der Untergang des Abendlandes'. Spengler beschouwde de Westerse cultuur als iets, dat historisch was ontstaan, historisch tot bloei was gekomen en ook weer historisch verwelkte en afstierf. Deze tragische visie stemde geheel overeen met de geest, die er na de Eerste Wereldoorlog heerste. Spengler onderzocht niet, wat 'cultuur' op zichzelf inhield, maar schilderde alleen het historisch noodlottige verloop van een cultuur.
Hoe kon ik me in deze situatie presenteren met mijn poging de ethiek en de cultuur van de juiste grondslag te voorzien? Ik verloor gewoon de moed de publikatie van mijn boek aan welke uitgever dan ook voor te leggen. Op haar verzoek gaf ik Mevrouw Emmy Martin, de weduwe van een bevriende, jong gestorven Elzassische predikant, het manuscript, toen zij naar München ging om daar een vriendin te bezoeken. Ze wilde daar een uitgever proberen te vinden. Ze kende geen enkele. De uitgeverij/boekhandel C. H. Beck, waar ze op een wandeling langsliep, stapte ze zo maar 's binnen met het verzoek de directeur te spreken. Als diens plaatsvervanger stelde zich een Heer Albers voor. Toen hij vroeg wat ze van hem verlangde, antwoordde ze hem, dat ze op zoek was naar een uitgever voor een boek van mij. Hij pakte het manuscript aan en liet snel z'n ogen over de eerste bladzijden gaan. Toen zei hij: 'Ook zonder dat we

het gelezen hebben beloven wij u dit geschrift te publiceren. Albert Schweitzer is geen onbekende voor ons'.
Toevallig was Beck ook de uitgever van Spenglers boek over de cultuur. Ik kwam al gauw met hem in contact. In plaats van elkaar te bestrijden werden we vrienden en in die kwaliteit spraken we met elkaar over onze visies op de cultuur.
'Cultuur en Ethiek' verscheen in 1923. Tussen de Heer Albers en mij ontstond een diepe vriendschap.

Februari 1924 keerde ik naar Lambarene terug. Ook van hieruit bleef ik in contact met Europa. Omdat ik nu niet meer de enige arts van m'n steeds groter wordende ziekenhuis was, maar twee of drie andere artsen naast mij had, kon ik af en toe voor een wat langere of kortere tijd naar Europa. Steeds weer kreeg ik de gelegenheid aan Universiteiten voordrachten te houden over de cultuur en de ethiek van de eerbied voor het leven en mij ook verder in woord en geschrift voor deze zaken te beijveren.
Tot mijn vreugde mocht ik ook constateren, dat mijn opvattingen over cultuur en ethiek steeds meer erkenning vonden, niet alleen in Europa, maar ook elders in de wereld, vooral in Japan, India en Amerika.
Vanaf de Tweede Wereldoorlog werkte ik bijna tien jaar achtereen (1939-1948) in Lambarene. Nu en dan was ik in deze periode weer de enige arts in m'n ziekenhuis.
Ik had deze oorlog zien aankomen en daarom had ik al m'n geld in de aankoop van een zo groot mogelijke voorraad medicamenten gestoken, omdat we tijdens de oorlog weer alle banden met Europa zouden verliezen.
Tot halverwege 1942 wist ik het met de aangelegde voorraad te redden. Toen de medicamenten op waren, kwam een grote zending medicamenten in Lambarene

aan. Mij onbekende Amerikaanse artsen hadden die mij gestuurd. Dit kon allemaal, omdat er in die fase van de oorlog weer contacten en betrekkingen tussen Equatoriaal Afrika en de USA mogelijk geworden waren.
In augustus 1948 kwam ik weer naar Europa en merkte ik, dat de mensen onder invloed van de oorlog en z'n gruwelen nóg ontvankelijker waren geworden voor de gedachte van de eerbied voor het leven.
In juli 1949 verbleef ik vier weken in de USA, omdat ik in het kader van de in Aspen plaatsvindende plechtigheid ter gelegenheid van de tweehonderdste geboortedag van Goethe de feestrede moest houden. Nu ontmoette ik de onbekende vrienden, die in 1942 mijn ziekenhuis door die grote zending medicamenten uit de brand hadden geholpen.
Bij mijn bezoeken aan verschillende steden en universiteiten ontdekte ik, dat de leer van de eerbied voor het leven de nodige bekendheid genoot en de gemoederen bezig hield. Vooral in Boston was men er bijzonder mee ingenomen.
Tijdens mijn korte bezoek aan Europa in 1951 kreeg ik Mevrouw Ella Krieser op bezoek, directrice van een grote school in Hannover. Ze kwam me vertellen, dat op haar school de leer van de eerbied voor het leven werd onderwezen. De kinderen hadden er veel begrip voor en deden samen hun best haar in hun gedrag en omgang met elkaar in praktijk te brengen. Onder invloed van deze leer had zich een geestelijke verandering bij hen voltrokken. Bij een later verblijf in Europa bezocht ik haar school en had ik gesprekken met deze kinderen. Het viel me op, dat ze alle kinderachtigheid van zich af hadden geschud. Het besef, dat zij reeds op hun leeftijd de plicht hadden barmhartig met medeschepselen om te gaan maakte hen even vrolijk en opgeruimd als ernstig.
Vandaag zijn er tal van scholen in de wereld, die de

eerbied voor het leven op hun lesprogramma hebben staan.
Alles wat ik mag horen en ervaren over het bekend worden en het effect van de leer van de eerbied voor het leven sterkt mij in de overtuiging, dat ze de elementaire waarheid vormt die de mensheid nodig heeft om de ware geestelijke attitude te bereiken en in het goede spoor te blijven.
Voor onze generatie heeft de leer van de eerbied voor het leven nog een extra accent. Omdat wij de beschikking hebben gekregen over atoomwapenen, zijn voor ons de mogelijkheid en de verleiding om leven te vernietigen ernorm toegenomen. Door de geweldige technologische vooruitgang is de huidige mensheid onder de doem komen te leven van de afgrijselijkste vernietiging van leven, die zich denken laat.
Van deze doem kunnen we ons alleen bevrijden door de atoomwapenen af te schaffen. Wanneer we hier niet spoedig in slagen, komen we in een onvoorstelbare ellende terecht.
Sinds jaren doen de regeringen van de landen, die in het bezit zijn van atoomwapenen, via onderlinge besprekingen de nodige pogingen om het eens te worden over de afschaffing van de atoomwapenen. Maar het lukt hun niet. Alle voorstellen, die ze over en weer doen zijn immers niet in staat het grote wederzijdse vertrouwen te scheppen, dat voor een wederzijds afzien van atoomwapenen zo dringend noodzakelijk is.
Vertrouwen is iets geestelijks. Het kan alleen in een geestelijke kontekst ontstaan. Dit zo urgente geestelijke kader betreft de mentaliteit van de eerbied voor het leven. Deze mentaliteit zal de volkeren van onze tijd moeten bezielen. Ze zijn er zich niet van bewust, dat ze op een huiveringwekkende manier onmenselijk zijn, omdat zij onverschillig en nonchalant durven te rekenen

met de toepassing van atoomwapenen, die met één klap honderden miljoenen mensen kunnen doden. Deze onverschilligheid en nonchalance moeten we van ons afwerpen.
De afschaffing van de atoomwapenen is pas dán mogelijk, wanneer bij de volkeren een publieke overtuiging groeit, die haar duidelijk verlangt en garandeert.
De hiervoor noodzakelijke gezindheid kan alleen geschapen worden door de eerbied voor het leven.
De loop van de geschiedenis brengt met zich mee, dat niet alleen de enkelingen maar ook de volkeren door de ethiek van de eerbied voor het leven ethische persoonlijkheden moeten worden.

2. EERSTE PREEK OVER DE EERBIED VOOR HET LEVEN

Zondagmorgen, 16 februari 1919
St. Nikolai, Straatsburg

Marcus 12 : 28-34
En een der schriftgeleerden, tot Hem komende, hoorde, dat zij met elkander redetwistten, en overtuigd, dat Hij hun goed geantwoord had, vroeg hij Hem: Welk gebod is het eerste van alle? Jezus antwoordde: Het eerste is: Hoor, Israël, de Here, onze God, de Here is één, en gij zult de Here, uw God, liefhebben uit geheel uw hart en uit geheel uw ziel en uit geheel uw verstand en uit geheel uw kracht. Het tweede is dit: Gij zult uw naaste liefhebben als uzelf. Een ander gebod, groter dan deze, bestaat niet. En de schriftgeleerde zeide tot Hem: Inderdaad, Meester, naar waarheid hebt Gij gezegd, dat Hij één is en dat er geen ander is dan Hij. En Hem lief te hebben uit geheel het hart en uit geheel het verstand en uit geheel de kracht, en de naaste lief te hebben als zichzelf, is meer dan alle brandoffers en slachtoffers. En Jezus, ziende, dat hij verstandig had geantwoord, zeide tot hem: Gij zijt niet verre van het Koninkrijk Gods. En niemand durfde Hem meer iets vragen.

De schriftgeleerde, die van Jezus wil horen wat het grote gebod is, wil er graag meer van weten. Hij wenst nader geïnformeerd te worden over iets, dat hem, evenals vele andere Joden, intens bezighoudt. In het Evangelie van Mattheüs (hoofdstuk 22) stellen schriftgeleerden aan Jezus de vraag over het grote gebod om Hem te verzoeken. Maar de evangelist Marcus is ongetwijfeld het meest authentiek, wanneer hij de hartverwarmende scè-

ne schildert waarin Jezus en de schriftgeleerden elkaar even diep in de ogen kijken en het roerend eens zijn met elkaar – om dan vervolgens weer uiteen te gaan.
In die tijd vroegen meelevende Joden zich af, hoe alle geboden en regels tot één hoofdgebod teruggebracht konden worden. Ook wij zijn in deze richting aan het zoeken. Wat is de essentie van het goede? We lazen de onvergankelijke woorden van onze Heer over de vergiffenis, de barmhartigheid, de liefde en al die andere deugden, die wij als zijn leerlingen in deze wereld in praktijk moeten brengen. Maar we voelen allemaal, dat we hier slechts te maken hebben met de kleuren, waarin het helle, witte licht zich uitstort van de zedelijke grondhouding, die Hij van ons verlangt.
Over deze kwestie: het hoofdgebod van alle ethiek en de morele grondhouding, zou ik graag in deze dienst met u willen nadenken. En in aansluiting hierop wil ik de komende tijd dan een aantal diensten wijden aan de problemen van de christelijke ethiek. Ver hiervandaan, in de eenzaamheid van het oerwoud heb ik me in deze problemen verdiept – en ik dacht daarbij aan deze diensten in de St. Nikolai en ik hoopte er in uw midden ooit nog eens over te preken.
De vraag naar de essentie van het zedelijke wordt in onze tijd steeds actueler. We zullen onder ogen moeten zien wat door vorige generaties en ook door onszelf tot nog toe steeds ontkend is, maar waar wij, althans wanneer we eerlijk willen zijn, niet omheen kunnen: De christelijke ethiek heeft de wereld niet veroverd. Ze heeft de mentaliteit van de mensen niet wezenlijk beïnvloed, maar is aan de oppervlakte gebleven. Men heeft haar meer in theorie beleden dan praktisch gerealiseerd. De mensheid presenteert zich nu aan ons alsof de woorden van Jezus eenvoudig niet voor hàar bestaan – alsof er voor haar helemáál geen ethiek bestaat.

Daarom is het volslagen zinloos de morele geboden vanJezus domweg steeds maar weer te repeteren en uit te leggen – alsof ze zich op deze manier tenslotte toch nog de nodige publieke erkenning moesten verwerven. Dit zou even dwaas zijn als wanneer we met de prachtigste kleuren op een natte muur zouden willen schilderen. Wij moeten eerst de voorwaarden scheppen voor een goed begrip van Jezus' woorden en de mensen de mentaliteit bijbrengen, vanwaaruit zij Jezus' woorden kunnen herkennen en waarderen – en het is helemaal niet zo eenvoudig Jezus' woorden zó uit te leggen, dat ze zonder meer in de praktijk van het leven kunnen worden toegepast. Neem bijvoorbeeld de woorden van het grote gebod. Wat betekent het God van ganser harte lief te hebben en uit liefde tot Hem alleen maar het goede te doen? Laat deze woorden even goed tot u doordringen en een wereld van overwegingen opent zich voor u. Wanneer in uw leven heeft u uit liefde voor God het goede gedaan, waar u er anders voor gekozen zou hebben het verkeerde te doen?

En neem dat andere woord: 'Gij zult uw naaste liefhebben als uzelf'. Hoe waar en wondermooi is dit gebod. Ik zou het u met de schitterendste voorbeelden kunnen toelichten. Maar is het realiseerbaar? Stel, dat u er met ingang van morgen letterlijk naar wilt leven – tot welke consequenties zou u binnen enkele dagen al komen?

We stuiten hier op hét grote raadsel van de christelijke ethiek: ook al zijn we heilig van plan Jezus te gehoorzamen, we zijn niet in staat zijn woorden zonder meer in ons leven toe te passen. Door ons onvermogen Jezus' woorden concreet in praktijk te brengen is het gevaar levensgroot, dat wij er wel eerbiedig naar verwijzen en ze als 'ideaal' aanprijzen, maar er in werkelijkheid geen ernst mee maken.

Er is nóg iets, waardoor de realisering van de christelijke

moraal wordt bedreigd: deze moraal leidt heel gemakkelijk tot hoogmoed. Wanneer we onze vijanden vergeven, vinden we onszelf bijzonder geslaagd; staan we iemand bij, die onze hulp nodig heeft, dan zijn we diep onder de indruk van onze niet geringe edelmoedigheid. Met het oog op het weinige, waarin we door de Geest van Christus misschien wat verder komen dan anderen, voelen we ons dan zó boven die anderen verheven, dat we in onze onzedelijke zelfbevrediging ethisch gezien vaak bijna nog minder voorstellen dan degenen, die er niet zo fel op uit zijn Jezus' geboden voor hun leven serieus te nemen zoals wij. Omdat ze zoiets buitengewoons verlangen, valt het ons moeilijk de eisen van Jezus als iets heel vanzelfsprekends te beschouwen. Toch vraagt Hij dat wel van ons. Zegt Hij niet ergens, dat we onszelf, ook al hebben we ons nóg zo ingespannen, slechts als 'onnutte slaven' moeten zien?
Dit alles maakt het zo urgent, dat wij met elkaar nadenken over de essentie van het goede. We moeten er achter zien te komen, hoe de hooggespannen verwachtingen van Jezus in ons dagelijks leven gerealiseerd willen worden. En we willen ook ontdekken, dat deze zo gespannen verwachtingen uiteindelijk neerkomen op algemeen menselijke plichten.
Wij willen doordingen tot de kern van het zedelijke. En uit deze kern – en die kunnen we dan zien als het allerhoogste gebod – willen we dan al onze ethische beslissingen afleiden. Maar – is het zedelijke eigenlijk wel iets, dat zich laat doorgronden? Is het zedelijke geen zaak van het hart? Is de ethiek niet gefundeerd in de liefde? Tweeduizend jaar heeft men ons dit steeds weer voorgehouden – en wat is het resultaat?
Bekijken we de mensheid als geheel en bezien we mensen ook individueel, dan treft ons een grootscheeps gebrek aan normbesef. Hoe is het mogelijk, dat zóveel

mensen (en onder hen bevinden zich ook en vaak juist de allervroomste) zich door vooroordelen en platvloerse hartstochten tot een denk- en handelwijze laten verleiden, die absoluut niets zedelijks meer heeft? De reden is, dat het hun ontbreekt aan een rationeel gefundeerde, aan de logica ontspringende ethische mentaliteit. Zij beschouwen zedelijkheid niet als iets, dat heel vanzelfsprekend voortvloeit uit het feit, dat je als mens een rationeel wezen bent.

Verstand en hart moeten samenwerken, wil er een waarachtig ethisch besef ontstaan. Zowel voor allerlei algemene ethische vragen als voor de decisies, die we moeten nemen in de praktijk van het dagelijks leven, ligt híer het kernprobleem.

Met 'verstand' bedoel ik: een naar de diepte afstekend, allesomvattend en het niveau van de wil overstijgend redelijk inzicht.

We hebben hier te maken met die merkwaardige gespletenheid, die zich manifesteert, wanneer we in verband met de zedelijke wil in onszelf wat kijk op onszelf proberen te krijgen. We ontdekken, dat die zedelijke wil enerzijds samenhangt met ons redelijk inzicht, ánderzijds ons voert tot beslissingen, die volgens de gebruikelijke maatstaven beslist niet meer redelijk zijn, maar beantwoorden aan eisen die men normaal als volstrekt overdreven zou beschouwen. Binnen deze gespletenheid, in deze merkwaardige spanning moeten we de essentie van het zedelijke zoeken. De vrees, dat een rationeel gefundeerde zedelijkheid een minderwaardig, kil en harteloos karakter zou hebben, is ongegrond, want mét dat het verstand de ethische vragen werkelijk in al hun diepte probeert te verstaan verliest het zijn kilheid en begint het, of het wil of niet, in de warme toonaard van het hart te spreken. En het hart ontdekt, wanneer het zichzelf probeert te doorgronden, dat het

niet om het verstand heen kan – dat het de invloedssfeer van de ratio dóór moet om zo tenslotte geconfronteerd te worden met z'n uiterste grenzen. Maar – hoe gaat dit allemaal in z'n werk?
Het is onze bedoeling de weg naar de essentie van het goede eerst met het hart als uitgangspunt, en vervolgens met het verstand als uitgangspunt af te leggen – om daarna dan te zien of beide wegen elkaar ontmoeten.
Het hart zegt, dat het zedelijke stoelt op de liefde. We zullen deze stelling motiveren. Liefde betekent innerlijke harmonie, innerlijke gemeenschap en manifesteert zich oorspronkelijk bij personen, die op zó'n natuurlijke wijze bij elkaar horen, dat hun existenties innerlijk met elkaar verbonden zijn: kinderen en ouders, echtgenoten en mensen, die zeer met elkaar bevriend zijn. Maar nu verlangt de zedelijkheid ook van ons, dat we de mensen die we níét kennen zonder een spoor van distantie accepteren als onze medemensen – ook degenen van wie we een afkeer hebben of die ons vijandelijk gezind zijn; we moeten ons tegenover hen gedragen alsof ze ons zeer lief waren. Het gebod van de liefde houdt dus ten diepste in: mensen met wie je niets te maken hebt, die je volstrekt vreemd zijn, bestaan er niet; er zijn alleen maar mensen met wie je je verbonden voelt en wier wel en wee je zeer ter harte gaat. Maar is het niet iets natuurlijks, dat de één ons buitengewoon lief is en dat anderen ons onverschillig zijn en zou de ethiek dit natuurlijke gegeven niet honoreren? Met onze ongeïnteresseerdheid ten opzichte van anderen rekent Jezus zó rigoureus af, dat Hij zegt: die ander moet je evenzeer ter harte gaan als je jezelf ter harte gaat; wat hem overkomt, moet je even direct raken als wat jezelf overkomt.
Verder moet het hart duidelijk maken, wat het betekent dat je God moet liefhebben met geheel je hart en met geheel je ziel en met al je krachten. God liefhebben – dat

verre, ondoorgrondelijke wezen! Althans in z'n ethische strekking moet dit gebod wel figuurlijk zijn bedoeld. Moeten we God, die ons niet nodig heeft, liefhebben alsof Hij iemand was met wie wij rechtstreeks in het dagelijks leven te maken hebben? Heeft liefde jegens medemensen het karakter van medeleven, medelijden en hulpvaardigheid, liefde ten opzichte van God is een kwestie van eerbiedige toewijding. God is het oneindige leven. Geïnterpreteerd vanuit het hart, houdt het meest elementaire ethische gebod dus in: uit eerbied tegenover de onbegrijpelijke Oneindige en Levende, die wij God noemen, zullen we ons nooit onverschillig ten aanzien van een medemens mogen gedragen, maar zullen we onszelf zover moeten krijgen, dat we hem solidair en helpend ter zijde staan.
Tot zover over het hart, wanneer dat het gebod van de liefde tot God en de naaste z'n meest algemene expressie probeert te geven.
Nu laten we het verstand aan het woord. Laten we eens kijken, in hoeverre het redelijk inzicht, afgezien van elke ethische traditie, in z'n reflectie over de wereld en de mens iets kan formuleren, dat normatief is voor ons handelen. Zal ook dit redelijk inzicht ons noodzaken onszelf te overstijgen?
Gewoonlijk hoort men beweren, dat het verstand alleen de zetel is van het egoïsme. Hoe komt het, dat het mij goed gaat? Dat heb ik aan mijn redelijk inzicht te danken, dat is alles. In het gunstigste geval brengt ons verstand ons een zekere mate van fatsoen en rechtvaardigheid bij, omdat deze kwaliteiten min of meer tot de gelukservaring behoren. Typerend voor ons verstand is z'n behoefte aan kennis en z'n behoefte aan geluk – en beide, kennis en geluk hangen op een geheimzinnige manier met elkaar samen.
Behoefte aan kennis! Probeer alles te doorgronden wat

zich om je heen afspeelt, ga tot aan de uiterste grenzen van het menselijk weten en steeds stuit je tenslotte weer op iets ondoorgrondelijks – en dit ondoorgrondelijke heet: leven! En dit ondoorgrondelijke is zó ondoorgrondelijk, dat het onderscheid tussen geleerd en niet-geleerd volstrekt relatief is.
Wat is het verschil tussen een geleerde, die de meest minuscule en onvermoede manifestatie van leven met z'n microscoop bestudeert en de oude boer, die nauwelijks kan lezen en schrijven, wanneer hij in de lente peinzend in z'n tuin staat en kijkt naar de doorbrekende bloesem aan de takken van de bomen? Beiden staan voor het mysterie van het leven en de één kan het wat diepgaander beschrijven dan de ander, maar voor beiden is het even ondoorgrondelijk. Alle weten is tenslotte weten omtrent het leven en alle kennen komt tenslotte neer op verwondering over het mysterie van het leven – eerbied voor het leven in z'n oneindige, steeds weer nieuwe verschijningsvormen. Wat te zeggen over wat ontstaat, existeert en weer vergaat? In andere existenties zich vernieuwt, wéér vergaat, wéér ontstaat enzovoort, van eeuwigheid tot eeuwigheid? Wij kunnen alles en wij kunnen niets, want met al onze kennis zijn we niet bij machte iets levends tot stand te brengen – wat wij produceren is dood!
Leven betekent: kracht – uit de oergrond opkomende en er weer naar terugkerende wil tot leven. Leven betekent: voelen, ervaren, lijden –. Verdiep je je in het leven, schouw je met de ogen van je hart in de geweldige bezielde chaos van het Zijn, dan overvalt alles je plotseling als één groot, duizelingwekkend mysterie. De kever, die dood aan de kant van de weg ligt – hij was iets dat leefde, vocht voor zijn bestaan, net als jij genoot van de zon, net als jij angst en verdriet kende: en nu is hij alleen nog maar wat wegrottende materie, net zoals jij dat

vroeg of laat zult zijn.
Je gaat naar buiten en het sneeuwt. Achteloos schudt je de sneeuw van je mouwen. En dan valt je oog ineens op een vlok, groot en glanzend in je hand. Je moet er naar kijken, of je wilt of niet. Schitterend zoals ze daar in haar wonderbaarlijke structuur ligt te glanzen! Dan siddert er iets: de subtiele draden, waaruit ze bestaat, trekken zich samen en ze is er niet meer – gesmolten, gestorven op je hand. De vlok, die uit de oneindige ruimte op je hand viel, daar even lag te glanzen, toen sidderde en stierf – dan ben jij. Alles wat je aan leven ziet – dan ben jezelf! Al het weten, zowel het meest geleerde als het meest kinderlijke – het is een kwestie van eerbied voor het leven, het onbegrijpelijke, dat ons in het heelal tegemoettreedt en dat net zo is als wij – uiterlijk van ons verschillend en toch innerlijk van dezelfde structuur, ontstellend gelijk aan ons, ontstellend met ons verwant. Daar gaat het om: om de opheffing van het vreemde, de distantie tussen ons en andere vormen van leven.
Eerbied voor de oneindigheid van het leven – opheffing van de distantie – medeleven, medelijden –. Het diepste inzicht van het kennen komt dus op hetzelfde neer als wat het gebod van de liefde ons voorhoudt. Hart en verstand stemmen met elkaar overeen, wanneer wij het aandurven mensen te zijn, die tot de bodem van alles willen doorstoten!
En het verstand ontdekt de schakel tussen de liefde tot God en de liefde tot de mensen: de liefde tot het geschapene, de eerbied voor alles wat existeert, het meeleven met alle vormen van leven, hoezeer die uiterlijk ook verschillen van de vorm, waarin wíj ons manifesteren.
Ik kan niet anders dan eerbied koesteren voor alles wat leven heet: ik móét wel meevoelen met al wat leeft: ziehier het begin en het fundament van alle ethiek. Wie dit eenmaal heeft ervaren en het steeds weer en steeds

dieper ervaart – en wie het eenmaal heeft ervaren, ervaart het steeds weer en steeds dieper – is werkelijk ethisch. Als een onverliesbaar goed draagt hij zijn ethisch besef in zich mee en prachtig komt dit besef in hem tot ontwikkeling. Wie het niet echt heeft beleefd, heeft enkel een aangeleerd ethisch besef, dat geen wortels heeft, hem niet werkelijk toebehoort en dat hij zo weer kwijt kan raken. En het afschuwelijke is, dat wij hier in het Westen op het moment, dat we de ethiek krachtig moesten handhaven, alleen in het bezit waren van zo'n aangeleerd ethisch besef, dat ons toen prompt ontviel. Al eeuwen zijn we met het aangeleerde zedelijk besef groot gebracht. We waren onbehouwen, nonchalant, harteloos – zonder dat we er erg in hadden, aangezien we nog niet beschikten over het criterium voor het ethische – omdat we geen algemeen geldende eerbied voor het leven hadden.

Je moet meeleven met het leven en leven behouden – dat is het hoogste gebod in z'n meest elementaire vorm. Negatief geformuleerd: je zult niet doden –. Wat nemen we gemakkelijk een loopje met dit verbod – bijvoorbeeld door onverschillig en laf bloemen stuk te breken, onverschillig en laf het arme insect te vertrappen en dan onverschillig en laf, in een verschrikkelijke verblinding (want van het één komt het ander) het lijden en het leven van onze medemensen te minachten en aan kleine, beperkte aardse idealen op te offeren –.

Men spreekt in onze tijd veel over de ontplooiing van een nieuwe mensheid. Wat moeten we hieronder verstaan? Het gaat er om, dat de mensheid het ware, authentieke, onverliesbare en vruchtbare ethisch besef deelachtig wordt. Maar ze zal nooit zover komen, wanneer allerlei mensen niet op grote schaal tot zichzelf inkeren, van blinden zienden worden en het grote gebod beginnen te spellen, het grote, zo eenvoudige gebod, dat luidt: eerbied voor het leven – het gebod, waaraan meer vastzit dan de wet en de profeten, het gebod waaraan de totale ethiek van de liefde vastzit – de liefde in haar diepste en hoogste betekenis – en het gebod, dat enkeling en gemeenschap steeds weer opnieuw inspireert tot liefde.

3. TWEEDE PREEK OVER DE EERBIED VOOR HET LEVEN

Zondagmorgen, 23 februari 1919
St. Nikolai, Straatsburg

Romeinen 14 : 7
Want niemand onzer leeft voor zichzelf, en niemand sterft voor zichzelf.

Vorige week zondag spraken we af, dat we ons in de komende diensten met allerlei ethische problemen zouden bezighouden.
We begonnen toen met de vraag van de schriftgeleerde naar het grootste gebod van het Oude Testament. We zagen, dat Jezus hem bepaalde bij twee geboden – het gebod van de liefde tot God en het gebod van de liefde tot de naaste. In aansluiting hierop stelden wij de vraag naar de essentie van het zedelijke, het uiteindelijke grondprincipe van de moraliteit. We wilden niet volstaan met het traditionele antwoord, dat de kern van het zedelijke de liefde is, maar gingen een stap verder door ons af te vragen: Maar wat is dat dan – liefde? Wat houdt de liefde tot God in – een liefde die ons noodzaakt de mensen om ons heen goed te bejegenen? Wat houdt de liefde tot de naaste in? En we gingen niet alleen bij het hart te rade over het morele, maar ook bij het verstand, omdat wij het als de zwakheid van onze tijd beschouwden, dat het hem ontbrak aan een rationele, door geen vooroordelen en door geen hartstochten kapot te maken zedelijkheid – en ook omdat wij onmogelijk konden aannemen, dat verstand en hart onafhankelijk van elkaar ieder een eigen weg zouden gaan. Als het goed is, overlegt het hart en voelt het verstand. We ontdekten, dat zowel voor het hart als voor het verstand het goede ten

diepste bestaat in de elementaire eerbied voor het mysterieuze, dat wij 'leven' noemen – in de eerbied voor het leven in al z'n verschijningsvormen, de allerkleinste evengoed als de allergrootste. Goed is: leven behouden en bevorderen; slecht is: leven blokkeren en vernietigen. Wij zijn ethisch, wanneer we onze eigenzinnige eenzelvigheid te boven komen, de distantie tot andere wezens overwinnen en meeleven en meelijden met alles, wat zich ten aanzien van hén rondom ons afspeelt. Pas op grond van déze mentaliteit zijn we werkelijk mens. Deze instelling maakt onze authentieke, onverliesbare, zich meer en meer ontwikkelende en zich oriënterende zedelijkheid uit.

Algemene formuleringen als 'eerbied voor het leven','overwinnen van de distantie' en 'drang om het leven te behouden' klinken ons koud en nuchter in de oren. Maar ook al zijn deze woorden weinig spectaculair, ze kunnen een rijke inhoud hebben. De graankorrel is ook niet spectaculair, en toch herbergt hij het product, dat eenmaal uit hem opbloeit. Zo ligt, of we ons dit nu bewust zijn of niet, in deze allerminst opzienbarende woorden de grondvisie besloten, waaraan de ganse ethiek ontspringt. Ethiek veronderstelt, dat we meeleven met alles wat niet alleen de mensen, maar ook al die andere levende wezens om ons heen doormaken – en zo gedwongen worden al het mogelijke te doen om het leven te behouden en te bevorderen.

De grote vijand van de ethiek is de afstomping. Als kinderen waren we, in de kleine wereld waarin we leefden, op een heel elementaire manier in staat medelijden te hebben. Maar dit oorspronkelijke vermogen heeft zich in de loop der jaren niet verder ontplooid en is achtergebleven bij onze intellectuele ontwikkeling. We vonden het maar iets lastigs, iets verwarrends. We zagen, dat talloos veel mensen dit vermogen niet meer bezaten. En daarom verdrongen wij het om net als de anderen te worden en niet uit de toon te vallen en omdat we er geen raad mee wisten. Zo werden wij met z'n allen als huizen, die de luiken voor elkaar sluiten en die dan kil en vreemd de straten in staren.

Ethisch blijven betekent wakker blijven! We herkennen ons in de man, die zich in de bittere winterkou een weg baant door de sneeuw. Wee hem, wanneer hij, toegevend aan z'n uitputting, gaat zitten om wat te slapen: hij zal niet meer wakker worden. Zo sterft de ethische mens in ons, wanneer wij het niet meer kunnen opbrengen mee te leven met wat al die andere schepselen om ons heen doormaken – en met hen mee te líjden. Wee ons, wanneer onze ethische gevoeligheid afstompt. Het betekent de liquidatie van ons geweten – ons geweten in de ruimste zin van het woord: ons inzicht omtrent datgene, wat ons te doen staat.

In de eerbied voor het leven en het meeleven met andere gestalten van leven hebben we ons als mensen in deze wereld te onderscheiden. De natuur kent geen eerbied voor het leven. Op de meest zinvolle wijze brengt zij duizendvoudig leven voort en op de meest zinlóze wijze vernietigt zij het weer duizendvoudig. Afgezien van de mens, zijn alle schepselen, op welke trap van het leven zij zich ook bevinden, in een verschrikkelijke onwetendheid gedompeld. Ze bezitten alleen de wil tot leven, maar ze zijn niet in staat mee te leven met wat andere creaturen overkomt; zelf kunnen ze lijden, maar ze hebben niet het vermogen mee te lijden. De grote wil tot leven, die de natuur in stand houdt, is op een raadselachtige wijze in tegenspraak met zichzelf. Het ene schepsel existeert ten koste van het leven van andere creaturen. De natuur laat de talloze levende wezens de gruwelijkste wreedheden begaan. Via hun instinct zet ze insecten aan met hun angel een gat in andere insecten te

boren en hun eieren daarin de deponeren; wat zich uit die eieren ontwikkelt, prikkelt ze vervolgens om zich eindeloos, tot de dood er op volgt te kwellen met het vangen van rupsen. Ze stimuleert mieren een leger te vormen om een arm, klein schepseltje aan te vallen en de dood in te jagen. Kijk naar de spinnen! Wat voor een afgrijselijk handwerk heeft de natuur ze geleerd!
Vanaf een afstand bekeken is de natuur mooi en verheven, maar wie het boek van de natuur leest, huivert. En de wreedheid van de natuur is zo zinloos! De hoogste vormen van leven worden opgeofferd aan de allerlaagste. Een kind ademt tbc-bacillen in. Het groeit op, ziet er goed uit, maar het draagt de kiemen van lijden en een vroege dood in zich, omdat die nietige levende wezentjes zich in zijn meest edele organen vermenigvuldigen. Hoe vaak werd ik in Afrika met ontzetting vervuld, wanneer ik het bloed onderzocht van iemand, die de slaapziekte had. Waarom zat die man daar met een van pijn vertrokken gezicht en kreunde hij: o, mijn hoofd, mijn hoofd! Waarom lag hij nachten lang te huilen en stierf hij tenslotte een ellendige dood? Vanwege die minuscuul kleine, witte lichaampjes van een tien- tot een veertien duizendste millimeter daar onder mijn microscoop – en het zijn er niet veel, dikwijls gaat het maar om een paar, zodat men soms uren moet zoeken om er ook maar eentje te ontdekken!
Zo staat door de raadselachtige tegenstrijdigheid binnen de wil tot leven het ene leven tegenover het andere leven en houdt het voor dat andere leven lijden en dood in – in alle onschuld tot en met schuldig. De natuur leert meedogenloos egoïsme. Alleen dank zij het instinct, waarmee zij creaturen begiftigd heeft om het leven, dat uit hen geboren wordt, zolang als dit nodig is met liefde en hulpvaardigheid te omringen, wordt dit egoïsme korte tijd opgeschort. Maar juist het feit, dat het dier zo

hartstochtelijk en vol zelfopoffering van zijn jongen houdt, maakt het alleen maar nóg afschuwelijker, dat het de compassie ten opzichte van creaturen, waarmee het geen dergelijke band heeft, ten enen male ontbreekt.
De wereld, overgeleverd aan onwetendheid en egoïsme, is als een dal, gehuld in duisternis; alleen de toppen van de bergen bevinden zich in het licht. Allen zijn gedoemd in het donker hun weg te gaan; slechts één mag naar boven om het licht te aanschouwen: het allerhoogste schepsel, de mens. Hem is het gegeven het besef omtrent de eerbied voor het leven deelachtig te worden, hij mag oog krijgen voor het meeleven en het meelijden, hij mag zich bevrijden van de onwetendheid, waarin de alle overige schepselen gevangen zijn.
Het doorbrekend inzicht van de mens is dé grote stap in de ontwikkeling van het zijn. Nu verschijnen de waarheid en het goede in de wereld; het licht overstraalt de duisternis; tot in z'n diepste wezen wordt het leven doorzien en begrepen. Het leven, dat tegelijk meeleven is; het leven, waarin één existentie de golfslag van de ganse wereld ervaart, één existentie het leven als zodanig van zichzelf bewust maakt – het leven, waarin het enkelvoudige, eenzelvige bestaan eindigt, ons eigen bestaan volstroomt met het bestaan buiten ons.
Wij leven in de wereld en de wereld leeft in ons. Juist rond dit inzicht stapelen de vragen zich op. Waarom wijken natuurwetten en ethische wetten zo sterk van elkaar af? Waarom kan ons verstand niet simpel overnemen en uitbouwen wat het als expressie van leven in de natuur aantreft, waarom moet het principieel zo geweldig in conflict komen met alles, wat zich ook maar voordoet? Waarom moet het verstand totaal andere wetten in z'n bagage signaleren dan de wetten, die de wereld regeren? Waarom moet het in onmin met de wereld leven, zodra het weet heeft van het goede? Waar-

om moeten we met deze tegenstrijdigheid leven, zonder dat we daarbij de hoop hebben haar ooit te kunnen oplossen? Waarom de verscheurdheid in plaats van de harmonie? En verder: God is de kracht, die alles in stand houdt. Waarom is de God, die zich in de natuur openbaart, de ontkenning van alles wat wij als ethisch ervaren – waarom is God tegelijkertijd een (hoe zinvol) leven opbouwende én een (hoe zinloos) leven vernietigende kracht? Hoe brengen wij God, de natuurkracht, in overeenstemming met God, de zedelijke wil, de God der liefde – en zó moeten we Hem ons toch voorstellen, wanneer we het niveau hebben bereikt van een meer verheven visie op het leven, het niveau van de eerbied voor het leven, het meeleven en het meelijden?
Toen we een paar zondagen geleden met elkaar wat helderheid probeerden te krijgen over de optimistische en pessimistische wereldbeschouwing, zagen we, dat het een bijzonder nare omstandigheid voor de huidige mensheid is, dat men haar geen gesloten, op zichzelf eenvoudig geconcipieerde wereldbeschouwing kon presenteren – gewoon omdat ons kennen naarmate het voortschrijdt ons steeds verder bij zo'n wereldbeschouwing vandaan voert. En dit komt niet alleen, omdat het ons steeds duidelijker wordt tot hoe weinig we eigenlijk met ons kennen kunnen doordringen, maar ook omdat zich telkens weer dat tegenstrijdige in het zijn manifesteert. Ons kennen is stukwerk, zegt de apostel Paulus. Maar dit is nog veel te zwak uitgedrukt. Het dramatische is, dat ons kennen neerkomt op een inzicht in onoplosbare tegenstellingen. En al die tegenstellingen gaan terug op die ene grote tegenstrijdigheid, dat de wet die het proces van de natuur beheerst niets gemeen heeft met wat wij als ethisch erkennen en ervaren.
Het is niet mogelijk onze ethiek te funderen in een gesloten wereldbeschouwing en een hecht, afgerond

Godsbegrip. Integendeel, we moeten de ethiek steeds weer in bescherming nemen tegen de met de wereldbeschouwing gegeven tegenstrijdigheden, die als een verpletterende branding tegen haar aanbeuken. We moeten een dam opwerpen – en zal die sterk genoeg zijn?

Er is nog iets, dat een bedreiging inhoudt voor ons vermogen en onze bereidheid om mee te leven: de telkens weer de kop opstekende overweging, dat het allemaal tóch niets uithaalt. Wat stellen al je pogingen om lijden te voorkomen, om lijden te verzachten en om leven te behouden nu voor, vergeleken met alles wat er in de wereld om je heen gebeurt zonder dat je er ook maar de geringste invloed op kunt uitoefenen? Inderdaad is het afschuwelijk je te moeten realiseren in hoeveel situaties wij volstrekt machteloos zijn, ja hoeveel lijden wij anderen bezorgen terwijl wij dat toch onmogelijk kunnen voorkomen.

Je loopt op een bospad. Door de kruinen van de bomen vallen blinkende strepen zonlicht. Vogels zingen, duizenden insecten zoemen vrolijk door de lucht. Maar zonder dat je daar ook maar iets aan kunt doen, is de weg die je begaat een slagveld. Híér strijdt een door jou vertrapte mier z'n doodsstrijd, dáár ligt een kever, die je onder de voet liep, op weer een andere plaats ligt een door jou vertreden worm zich te kronkelen. Dwars door het heerlijke lied van het leven klinkt de melodie van het lijden en de dood – het lijden en de dood, die jij, schuldeloze schuldige, veroorzaakte. En zo voel je bij al het goede, dat je wilt doen, de verschrikkelijke onmacht zó te helpen als je eigenlijk zou willen. Dan hoor je de stem van de verzoeker zeggen: Waarom kwel je jezelf toch zo? Het haalt niets uit. Geef het op, word onverschillig, word nonchalant en gevoelloos als de anderen.

Nog een andere verzoeking dient zich aan. Méélijden

betekent zélf lijden. Wie eenmaal het lijden van de wereld in zich beleeft, kan niet meer dát geluk deelachtig worden, dat we als mensen zo graag zouden smaken. De uren, die hem tevredenheid en vreugde brengen, is hij niet in staat onbevangen te genieten – voortdurend voelt hij de pijn en het lijden, waarin hij participeert. Scherp staat hem voor ogen wat hij heeft gezien. Hij denkt aan de armen, die hij aantrof, de zieken die hij zag, de mensen die hem hun trieste levensgeschiedenis vertelden – en duisternis valt over z'n oplichtende vreugde. En zo gaat het steeds weer. Terwijl iedereen in het gezelschap lacht en vrolijk is, maakt hij plotseling een verstrooide, afwezige indruk. En dan klinkt de stem van de verzoeker weer: Zo kun je niet leven. Men moet zich kunnen distantiëren van wat er met een ander gebeurt. Stel je niet zo gevoelig op. Oefen je in een noodzakelijke gevoelloosheid, schaf je een pantser aan, word nonchalant als de anderen, wanneer je tenminste verstandig wilt leven. Tenslotte komen we dan zover, dat we ons ervoor schamen aan het grote meeleven en het grote meelijden deel te nemen. We verbergen het voor elkaar en we doen net alsof we het iets volkomen dwaas vinden – iets dat je van je afschudt wanneer je een verstandig mens begint te worden.

Dit zijn de drie grote verzoekingen, die zonder dat we er erg in hebben de voorwaarde, waaruit het goede opbloeit, de doodsteek toebrengen. Wees ervoor op je hoede. Reken met de eerste verzoeking af door jezelf voor te houden, dat meelijden en hulpvaardigheid een innerlijke noodzakelijkheid voor je zijn. Alles wat je kunt doen zal met het oog op datgene, wat in féite gedaan moet worden, steeds weer een druppel in plaats van een stroom zijn. Maar dat weinige is het enige, dat je leven zin kan geven en waardevol kan maken. Waar je ook bent, overal en altijd moet je aanwezigheid zo veel

mogelijk een verlossing inhouden – een verlossing uit de ellende, die de in zichzelf verdeelde wil tot leven in de wereld heeft gebracht. Een verlossing, zoals alleen de tot inzicht gekomen mens die kan realiseren. Wanneer je hoe dan ook een levend wezen, of het nu een mens is of één of ander dier, bevrijdt van verdriet, pijn en angst, is het weinige dat je kunt doen bijzonder veel. Alleen in het behouden van leven ligt je geluk.
Dan de verzoeking, dat je meeleven met datgene wat zich rondom je afspeelt, lijden voor je betekent. Verzet je ertegen, door je te realiseren, dat met het medelijden tegelijk de mogelijkheid is gegeven om te participeren in vreugde. Wie door afstomping niet meer in staat is in andermans lijden te delen, kan ook niet betrokken zijn bij het geluk van een ander. En bij het weinige geluk, dat we in de wereld meemaken, is het participeren in het geluk vanwege het goede, dat we zelf tot stand kunnen brengen, het enige geluk, dat ons leven toch nog draaglijk maakt. En tenslotte heb je helemaal niet het recht om te zeggen: Ik wil zus zijn of zo, omdat je meent dat je daardoor gelukkiger wordt, maar je moet gewoon zijn wie je díént te zijn – een werkelijk tot inzicht gekomen mens, een mens, die met de wereld meeleeft, een mens, die de wereld ín zich beleeft. Of je zo volgens de gebruikelijke opvattingen gelukkiger bent of niet, doet niet ter zake. Het geheimzinnige appèl in ons roept ons niet op om gelukkig te zijn – het enige wat ons werkelijk kan bevredigen is: dat appèl gehoorzamen.
Laat u niet afstompen, blijf waakzaam! Het gaat om uw ziel. Wanneer ik u zoals u hier nu bij elkaar bent, met deze preek, waarin ik mij volledig bloot geef, zou kunnen dwingen voorgoed te breken met het bedrog, waarmee de wereld ons in slaap wil sussen – wanneer ik u zover zou kunnen krijgen, dat niemand van u meer onverschillig en nonchalant kan leven en dat u er niet

meer voor terugschrikt de eerbied voor het leven en het grote meeleven te leren kennen en u daarin te verliezen, dan zou ik volkomen tevreden zijn en mijn arbeid als gezegend beschouwen – ook wanneer ik wist dat mij morgen het preken verboden zou worden of dat ik met mijn preken totnogtoe niets tot stand had gebracht en in de toekomst niets ànders meer tot stand zou kunnen brengen.
Ik, die er anders bang voor ben invloed op mensen uit te oefenen vanwege de verantwoordelijkheid die men daarmee op zich neemt, zou u wel met geweld willen betoveren, zodat u gevoelig en solidair wordt en ieder van u het grote verdriet beleeft, waar men nooit meer van loskomt – ieder van u leert wat meelijden is. Want ik zou mezelf dan mogen voorhouden, dat u zich op de weg naar het goede bevindt en dat u deze weg niet meer kwijt kunt raken. Niemand onzer leeft voor zichzelf: moge dit woord ons achtervolgen en niet tot rust laten komen – tot men ons neerlaat in het graf.

4. DE CULTURELE CRISIS EN HAAR GEESTELIJKE OORZAKEN

Onze cultuur maakt een ernstige crisis door. Gewoonlijk gaat men er vanuit, dat deze crisis het gevolg is van de oorlog. Maar men vergist zich. De oorlog, en alles wat ermee samenhangt, is zelf alleen maar een symptoom van de culturele leegte, waarin we ons bevinden. Ook in de landen, die niet aan de oorlog hebben deelgenomen en waar de oorlog geen directe invloed heeft uitgeoefend, vertoont de cultuur duidelijke crisisverschijnselen. Het enige is, dat deze verschijnselen zich wat minder pijnlijk laten voelen dan in de landen, die de zo ingrijpende psychische en materiële effecten van de oorlogsjaren te verwerken hebben gekregen.
Houden we ons nu echter actief bezig met de ondergang van de cultuur en vragen we ons serieus af op welke manier we ons culturele verval te boven kunnen komen? Nauwelijks. Verlichte geesten strompelen in zevenmijlslaarzen rond door de geschiedenis van de cultuur en proberen ons wijs te maken, dat cultuur iets natuurlijks is, dat bij bepaalde volken op een bepaalde tijd tot bloei komt en dan vervolgens noodzakelijkerwijs weer verwelkt – zodat steeds weer nieuwe cultuurvolken de plaats moeten innemen van de volken, die van het toneel verdwijnen. Weliswaar raken ze in verlegenheid, wanneer ze in het perspectief van deze theorie moeten aangeven, welke volken geroepen zijn om als ónze erfgenamen op te treden. Aan welke volken zouden we dit ook maar enigermate kunnen toevertrouwen? Alle volken op aarde hebben niet weinig de invloed zowel van onze cultuur als van onze wancultuur ondervonden. Min of

meer delen ze in ons noodlot. Bij geen van hen treffen we elementen aan, die een interessante en originele wending aan de cultuur kunnen geven.
Maar liever dan ons – zoals die verlichte geesten – te verliezen in spitsvondigheden en knappe cultuur-historische overzichten, willen we ons objectief concentreren op het probleem van onze bedreigde cultuur. Hoe moeten we de degeneratie van onze cultuur interpreteren en waardoor ontstond ze?
In de eerste plaats moeten we een elementair feit vaststellen. Het noodlot van onze cultuur is, dat ze zich in materieel opzicht veel sterker heeft ontwikkeld dan in geestelijk opzicht. Ze is uit balans geraakt. De ontdekkingen, waardoor de natuurkrachten op zo'n ongehoorde wijze in onze dienst zijn gesteld, brachten in de levensomstandigheden van de enkeling, de verschillende maatschappelijke groeperingen en de volken een radicale omwenteling teweeg. Ons kennen en ons kunnen hebben een verrijking en expansie ondergaan, waarvan vorige generaties geen flauw idee hebben gehad. Daardoor waren we bij machte de bestaansvoorwaarden van de mens op tal van punten stukken gunstiger te maken dan vroeger. In ons enthousiasme over de vooruitgang van ons kennen en kunnen hebben we echter een foutieve visie op 'cultuur' ontwikkeld. We overschatten haar materiële successen en verwaarlozen de betekenis van het geestelijke. Nu dienen zich de feiten aan en roepen ons tot de orde. Keihard en meedogenloos brengen ze ons aan het verstand, dat de cultuur, die zich enkel materieel en niet ook en evenzeer geestelijk ontplooit, lijkt op het schip, dat met defecte stuurinrichting, en geleidelijk z'n tempo verhogend niet langer bestuurbaar is en zodoende regelrecht afkoerst op een katastrofe.
Het wezenlijke van de cultuur bestaat niet in materiële verworvenheden, maar in het feit, dat de leden van een

cultuur het ideaal hoog houden van de vervolmaking van de mens en van de verbetering van de sociale en politieke situatie, waarin de volken en de mensheid zich bevinden – en dat dit ideaal hen voortdurend bij al hun overwegingen bezielt en begeleidt. Slechts wanneer de individuele leden van een cultuur op deze manier als psychische grootheden aan zichzelf en aan de gemeenschap werken, is het mogelijk, dat de door de feiten geschapen problemen opgelost worden en er een in alle opzichten waardevolle en alles omvattende vooruitgang tot stand komt. Of er nu wat meer of wat minder materiële successen worden geboekt – dat is voor de cultuur niet beslissend. Doorslaggevend is voor haar, dat psychische krachten de feiten onder controle houden. De afloop van de reis hangt er niet vanaf, of het schip nu wat sneller of wat langzamer vaart, of het zeilt of door stoom wordt voortgedreven, maar of het de juiste koers houdt en of zijn stuurinrichting in orde blijft.

Omwentelingen in de levensomstandigheden van de enkeling, de gemeenschap en de volken, zoals die dank zij onze grote materiële successen plaatsvinden, stellen – wanneer ze werkelijk een vooruitgang in de zin van een waardevolle cultuur moeten inhouden – extra hoge eisen aan de kracht van de culturele inspiratie (zoals een extra hoge snelheid ook een extra grote stabiliteit van het roer en de stuurinrichting vereist). De vooruitgang van het weten en kunnen overkomt ons bijna als een natuurverschijnsel. We zijn niet in staat alle vooruitgang in zulke banen te leiden, dat zij de omstandigheden, waarin wij leven, in elk opzicht gunstig beïnvloedt. Integendeel, zij bezorgt de enkeling, de gemeenschap en de volken enorme problemen en brengt gevaren met zich mee, die men van tevoren absoluut niet kon vermoeden. Hoe paradoxaal het ook moge klinken: de vooruitgang van kennen en kunnen maakt werkelijke cultuur niet ge-

makkelijker, maar juist moeilijker. Ja, na alles wat wij en de beide vorige generaties aan vooruitgang hebben beleefd, zou men er bijna aan twijfelen, of cultuur bij materiële successen zoals ons ten deel vielen, eigenlijk nog wel mogelijk is.
Het meest algemene gevaar, dat de materiële successen voor de cultuur opleveren, is dat door de veranderingen in hun levensvoorwaarden grote groepen mensen beroofd worden van hun vrijheid. Degenen, die het land bebouwden, werden arbeiders, die in een fabriek een machine bedienen; handwerkslieden en zelfstandige zakenmensen werden ondergeschikten. Ze verliezen de elementaire vrijheid van de mens, die in z'n eigen huis woont en die in directe relatie tot de voedende aarde staat. Ook hebben ze niet meer het ruime en duurzame verantwoordelijkheidsbesef van hén, die zelfstandig werk verrichten. Hun bestaansvoorwaarden zijn dus onnatuurlijk. Zij voeren de strijd om het bestaan niet meer onder enigszins normale omstandigheden – omstandigheden waarin ieder voor zich, hetzij tegen de natuur, hetzij tegen menselijke concurrentie, door eigen inzet en bekwaamheid zich kan handhaven –, maar ze zijn genoodzaakt zich onderling aaneen te sluiten en een macht te vormen, die betere bestaansvoorwaarden afdwingt. Hiermee is een mentaliteit van onvrijen gegeven, waarin cultuuridealen niet meer in hun oorspronkelijke integriteit kunnen functioneren, maar geannexeerd worden door de filosofie van de grote strijd, die op handen is.
Tot op zekere hoogte zijn we allen door de veranderde situatie onvrijen geworden. Tot welke categorie we ook behoren – iedere tien jaar, zo niet van jaar tot jaar hebben we een zwaarder strijd om het bestaan te voeren. Ons lot is ons lichamelijk of geestelijk (of beide) te overwerken. Aan onszelf komen we niet meer toe. On-

ze psychische onzelfstandigheid neemt in dezefde mate toe als de materiële onzelfstandigheid. We worden compleet afhankelijk – afhankelijker, onvrijer dan men vroeger ooit geweest is. De zich steeds perfecter organiserende economische, sociale en politieke instituten krijgen ons steeds vaster in hun greep. De voortdurend krachtiger georganiseerde staat oefent op een almaar beslister en omvattender wijze z'n gezag over ons uit. In elk opzicht wordt onze persoonlijkheid dus gekleineerd. Het wordt ons steeds moeilijker gemaakt een persoonlijkheid te zijn.
Zo bewerkstelligt de vooruitgang van de uiterlijke, materiële cultuur, dat het individu, hoezeer hij er ook van profiteert, er toch in tal van opzichten op achteruitgaat en zowel materieel als geestelijk minder geschikt wordt voor ware cultuur.
Het is ook de vooruitgang van de materiële cultuur, waardoor de sociale en politieke problemen op zo'n heilloze manier verscherpt worden. Door de moderne sociale problemen komen we in een klassenstrijd, die onze economische en politieke situatie ontwricht en ondermijnt. De machine en de wereldhandel hebben tenslotte de wereldoorlog veroorzaakt. En de uitvindingen, die ons zo'n geweldige, vernietigende macht in handen gaven, hebben die oorlog zó'n verpletterend karakter verleend, dat zowel overwonnenen als overwinnaars er tot in lengte van dagen door geruïneerd zijn. Het waren ook technische verworvenheden, die ons in staat stelden zó op afstand te doden en massaal te vernietigen, dat we ook het allerlaatste restje humaniteit in ons verloochenden – we waren alleen nog maar een blinde wil, die volmaakte moordwerktuigen bediende, zonder bij zijn vernietigingswerk het onderscheid tussen soldaten en niet-soldaten nog in de gaten te kunnen houden.

De materiële verworvenheden zijn op zichzelf dus geen cultuur, maar wórden slechts cultuur naarmate een culturele mentaliteit er in slaagt ze in dienst te stellen van de vervolmaking van de enkeling en de gemeenschap. Wij evenwel, verblind als we waren door de vooruitgang van kennen en kunnen, realiseerden ons niet in welk gevaar we ons stortten door steeds minder nadruk te leggen op het geestelijke in de cultuur; we leverden ons zonder meer uit aan de kinderlijke voldoening over onze grootse materiële successen en verdwaalden in een ongelooflijk oppervlakkige opvatting van cultuur. We geloofden in een met de feiten gegeven, een immanente, rechtstreeks uit de feiten voortvloeiende vooruitgang. In plaats van geestelijke idealen te formuleren en een poging te ondernemen de werkelijkheid naar deze idealen om te vormen, wilden we, door ijdele werkelijkheidszin verblind, ons met aan de werkelijkheid ontleende, minderwaardige idealen zien te redden. Zodoende verloren we iedere greep op de feiten.
Waar dus geestelijke cultuurkrachten meer dan ooit nodig waren, lieten wij ze verschrompelen.

Hoe kon het echter gebeuren, dat we zo vervreemdden van het geestelijke element van de cultuur?
Om dit te begrijpen, moeten we teruggaan naar de tijd, waarin het geestelijke van de cultuur zich nog direct en vitaal manifesteerde. Onze weg voert naar de achttiende eeuw. Bij de Rationalisten, die alles volgens de rede verklaren en alles via redelijk overleg willen regelen, stuiten we op de krachtig geformuleerde, fundamentele overtuiging, dat de gezindheid het wezenlijke van de cultuur uitmaakt. Het is waar, dat ook zij reeds geïmponeerd zijn door de moderne verworvenheden van het kennen en het kunnen en de materiële zijde van de cultuur een hiermee overeenkomende betekenis verle-

nen. Toch spreekt het voor hen nog volstrekt vanzelf, dat het essentiële en waardevolle van de cultuur het geestelijke is. Hun belangstelling gaat in de eerste plaats uit naar de geestelijke vooruitgang van de mens en de mensheid. In deze vooruitgang geloven ze met een onvermoeibaar optimisme.
De grootheid van de mensen uit de tijd van de Verlichting moeten we hierin zoeken, dat zij de idealen van de vervolmaking van het individu, de gemeenschap en de mensheid formuleren en zich met enthousiasme inspannen voor deze idealen. De kracht, waarop ze voor de realisering ervan rekenen, is de gezindheid van de mens. Zij eisen van haar, dat zij de mensen en de omstandigheden structureel zal veranderen en vertrouwen erop, dat zij sterker is dan de feiten.
Wat is echter de achtergond van hun streven om zulke verheven cultuuridealen te formuleren – en wat is de achtergrond van hun vertrouwen ze te kunnen realiseren? Hun wereldbeschouwing.
De wereldbeschouwing van het Rationalisme is optimistisch en ethisch. Haar optimisme houdt in, dat ze uitgaat van een algemene, heel de wereld doortrekkende en op vervolmaking gerichte, doelmatigheid. Het is deze doelmatigheid, die de op geestelijke en materiële vooruitgang geconcentreerde inspanningen van de mens en de mensheid zin en betekenis en tevens de garantie van slagen geeft.
Ethisch is deze wereldbeschouwing, omdat zij het ethische beschouwt als iets dat in de lijn van de rede ligt en in verband daarmee van de mens eist, dat hij zich – allerlei egoïstische belangen verloochenend – zal wijden aan alle te realiseren idealen en het ethische zal laten gelden als de enige maatstaf voor zijn beslissingen. Een gezindheid van humaniteit is voor de Rationalisten een ideaal, waarvan ze zich door geen enkele overweging laten afbrengen.

Wanneer bij de overgang van de achttiende naar de negentiende eeuw de reactie tegen het Rationalisme opkomt en er kritiek op wordt uitgeoefend, beticht men z'n optimisme van oppervlakkigheid en z'n ethiek van sentimentaliteit. Maar wat het bij al z'n onvolkomenheden presteerde: mensen inspireren zich te wijden aan cultuuridealen, geënt op de rede – dat kunnen de geestelijke bewegingen, die het bekritiseren en opvolgen, op die manier niet voortzetten. Onmerkbaar maar gestadig verliest de culturele gezindheid aan kracht. Naarmate de wereldbeschouwing van het Rationalisme als achterhaald wordt beschouwd, dringt de werkelijkheidszin naar voren – totdat tenslotte, vanaf het midden van de negentiende eeuw, de idealen niet meer aan de rede, maar aan de werkelijkheid ontleend worden en we daarmee steeds verder van de cultuur en humaniteit afraken. Dit is het meest spectaculaire en gewichtige feit, dat we in de geschiedenis van onze cultuur kunnen vaststellen.

Wat houdt het in? Dat er een nauw verband bestaat tussen cultuur en wereldbeschouwing. Cultuur is het resultaat van een optimistisch-ethische wereldbeschouwing. Slechts naarmate een wereld- en levensaanvaardende en tegelijk ethische wereldbeschouwing actief is, worden cultuuridealen gepresenteerd en in de gezindheid van enkeling en samenleving in ere gehouden.

Dat men deze innige relatie tussen cultuur en wereldbeschouwing niet de aandacht heeft geschonken, die ze verdient, komt omdat er onder ons zo weinig echte bezinning is over het wezen van de cultuur.

Wat is cultuur? Ze is de som van alle vooruitgang van de mens en de mensheid op elk gebied en in elk opzicht, voor zover ze dienstbaar is aan de geestelijke voltooiing van de enkeling en aan de continuering van de vooruitgang.

De aandrang om op elk terrein en in elk opzicht naar vooruitgang te streven, ontspringt bij de mens aan een optimistische wereldbeschouwing, die de wereld en het leven accepteert als iets, dat op zichzelf van de grootste waarde is, en zich daarom geroepen voelt om het zijn, voor zover we dit kunnen beïnvloeden, tot z'n hoogste kwaliteit te brengen. Hieruit ontstaan dan het willen, hopen en werken, gericht op de verbetering van de situatie van de enkeling en de gemeenschap, van de volken en de mensheid. Dit leidt dan tot heerschappij van de geest over de natuurkrachten, tot volmaking van de religieuze, sociale, economische en practische gemeenschapsvorming en tot geestelijke vervolmaking van de enkeling en de gemeenschap.
Zoals alleen de wereld- en levensaanvaardende, dus optimistische wereldbeschouwing de mens tot culturele activiteit kan stimuleren, zo herbergt alleen het ethische de kracht om mensen dwars tegen hun egoïstische belangen in trouw te laten blijven aan hun culturele engagement en hen telkens weer te bepalen bij de geestelijke en zedelijke voltooiing van de enkeling als het werkelijke doel van de cultuur. In onderlinge verbondenheid formuleren wereld- en levensaanvaarding en ethiek dus samen de idealen van een waarachtige, volledige cultuur en proberen die te realiseren.
Blijft de cultuur incompleet of gaat ze achteruit, dan is de uiteindelijke oorzaak, dat óf de wereld- en levensaanvaarding óf haar ethiek óf allebei onvolledig bleven of achteruitgingen.
Dit speelt zich nu bij ons af. Het is duidelijk, dat we de voor cultuur zo noodzakelijke ethiek zijn kwijtgeraakt. Sinds enkele decennia plegen we met steeds groter gemak relatieve ethische criteria aan te leggen zonder de ethiek in alle voorkomende kwesties nog een beslissende stem te geven. Het afzien van de consequente ethische

beoordeling achten we een stap vooruit in de zakelijkheid.
Maar ook onze wereld- en levensaanvaarding is in een crisis gekomen. De moderne mens voelt zich niet meer geroepen om z'n zinnen zonder meer te zetten op de idealen van de vooruitgang. Hij heeft een vérstrekkend compromis gesloten met de werkelijkheid. Hij berust veel meer in de bestaande situatie dan hij zichzelf wil toegeven. In een bepaald opzicht is hij zelfs uitgesproken pessimistisch. Hij gelooft eigenlijk niet meer in de geestelijke en ethische vooruitgang van de mens en de mensheid – terwijl die vooruitgang toch het wezenlijke van de cultuur uitmaakt.
Dat wereld- en levensaanvaarding en ethiek zo aftakelen, vindt z'n oorzaak in de aard van onze wereldbeschouwing. Sinds het midden van de negentiende eeuw verkeert de wereldbeschouwing in een crisis. Het lukt ons niet meer een visie op het universum te ontwikkelen, die de zin van de existentie van de mens en van de mensheid openbaart en waarin dus ook de idealen besloten liggen, die voortvloeien uit een rationele wereld- en levensaanvaarding en uit een ethische intentie. Meer en meer vervreemden wij van welke wereldbeschouwing dan ook en zo vervreemden wij ook van iedere vorm van cultuur.
De grote vraag, waarvoor we dus staan, is of we blijvend moeten afzien van een wereldbeschouwing, die krachtig de idealen van de vervolmaking van de mens en de mensheid en van het ethische handelen hoog houdt. Wanneer we er in slagen weer een wereldbeschouwing te ontwerpen, die op overtuigende wijze een ethische wereld- en levensaanvaarding met zich meebrengt, dan kunnen we het voortschrijdende culturele verval de baas worden en komen we weer tot een waarachtige en levende cultuur. Wanneer ons dit níét lukt, zijn we ge-

doemd alle pogingen, die de degeneratie van de cultuur moeten keren, hopeloos te zien mislukken. We zijn pas op de goede weg, wanneer we algemeen inzien, dat vernieuwing van de cultuur alleen maar een gevolg kan zijn van een vernieuwde wereldbeschouwing en wanneer we ook hartstochtelijk verlangen naar zo'n vernieuwde wereldbeschouwing. Het noodzakelijke inzicht breekt echter nog niet door. De moderne mens heeft nog geen oog voor het tragische feit, dat hij zonder bevredigende wereldbeschouwing leeft – of zelfs zonder welke wereldbeschouwing dan ook. Het onnatuurlijke en gevaarlijke van deze situatie moet hem eerst aan het verstand worden gebracht – evenals aan degenen, bij wie de gevoeligheid van het zenuwstelsel is aangetast, duidelijk gemaakt moet worden, dat hun leven gevaar loopt, hoewel ze geen pijn hebben. Zo moeten wij de mens van vandaag wakker schudden en prikkelen tot een elementaire bezinning over de vraag, wat de mens in de wereld betekent en wat hij van zijn leven wil maken. Pas wanneer hij zich uitgedaagd voelt zijn bestaan zin en waarde toe te kennen en pas wanneer hij zo vervuld wordt met honger en dorst naar een bevredigende wereldbeschouwing, zijn de voorwaarden geschapen voor een geestelijke attitude, waardoor we weer tot werkelijke cultuur in staat zullen zijn.

Om echter de weg tot een bevredigende wereldbeschouwing te leren kennen, is het nodig dat we ons scherp realiseren waarom de worsteling van de Europese geest om een wereld- en levensaanvaardende ethische wereldbeschouwing, na tijdelijk succesvol te zijn geweest, toch vanaf de tweede helft van de negentiende eeuw uitloopt op een debâcle.

Omdat onze reflectie zich te weinig inlaat met cultuur, heeft men er onvoldoende oog voor gehad, dat de essentie van de geschiedenis der wijsbegeerte de geschiedenis is van de worsteling om tot een bevredigende wereldbeschouwing te komen. Zo bezien, gaat deze geschiedenis aan ons voorbij als een tragisch schouwspel.

5. ETHIEK DER TOEWIJDING EN ETHIEK DER ZELFVERVOLMAKING

Voldoende geïnformeerd over de vragen en uitkomsten, die zich bij het zoeken naar ethiek tot nog toe voordeden, kunnen de ethiek der toewijding en de ethiek der zelfvervolmaking thans proberen het nodige begrip voor elkaar op te brengen, teneinde samen het ware grondprincipe van het zedelijke te formuleren.
Waarom lukt het ze niet elkaar aan te voelen en te verstaan?
Wat de ethiek van de toewijding betreft, moet de fout op de één of andere manier schuilen in haar uiterst bekrompen opstelling. Het sociale utilitarisme houdt zich principieel alleen maar bezig met de toewijding van mens aan mens en van mens aan menselijke samenleving. De ethiek van de zelfvervolmaking daarentegen heeft een universeel karakter. Ze is gericht op de verhouding van de mens tot de wereld. Wil de ethiek van de toewijding dus in kunnen gaan op de ethiek van de zelfvervolmaking, dan zal ze evenals deze universele trekken moeten krijgen en de toewijding niet alleen moeten betrekken op mens en samenleving, maar op ál het leven dat zich waar dan ook op aarde manifesteert.
Maar de tot nog toe vigerende ethiek is nog niet eens bereid de eerste stap te doen naar een verruiming van het begrip toewijding.
Zoals de huisvrouw, die de kamer geveegd heeft, ervoor zorgt, dat de deur dicht blijft zodat de hond niet kan binnenkomen en met z'n vuile poten haar werk kan bederven, zo passen de Europese denkers ervoor op, dat er geen dieren in hun ethiek rondlopen. Het grenst aan

het ongelooflijke tot welke dwaasheden ze hun toevlucht nemen om de overgeleverde bekrompenheid maar te handhaven en tot principe te maken. Of ze ontdoen zich van ieder mededogen jegens het dier, òf ze weten het zover te krijgen dat dit mededogen tot een niets betekenende rest verschrompelt. Laten ze er iets meer van intact, dan menen ze daar vergezochte rechtvaardigingen en zelfs ook verontschuldigingen voor te moeten aanbieden.
Het is alsof Descartes met zijn uitspraak, dat dieren louter machines zijn, de hele Europese filosofie heeft behekst.
Een zo belangrijke denker als Wilhelm Wundt ontsiert zijn ethiek door de volgende stelling: 'Het enige object van mededogen is de mens ...... De dieren zijn voor ons slechts medeschepselen – een uitdrukking, waardoor de taal reeds aangeeft, dat wij slechts met het oog op de laatste grond van al het gebeuren, de schepping, hier een soort nevenschikking erkennen. Zo kunnen we tegenover dieren dan ook emoties hebben, die enigszins te maken hebben met mededogen. Maar voor het werkelijke mededogen ontbreekt steeds de grondvoorwaarde van de innerlijke eenheid van onze wil met de hunne'.
Als toppunt van wijsheid beweert hij tenslotte, dat van het meedelen in de vreugde van een dier absoluut geen sprake kan zijn – alsof hij nog nooit een dorstige os had zien drinken.
Kant onderstreept nadrukkelijk, dat de ethiek slechts van doen heeft met de plichten van mensen tegenover mensen. De 'menselijke' behandeling van dieren meent hij te moeten rechtvaardigen door haar als een oefening in ontvankelijkheid voor te stellen – een ontvankelijkheid die bevorderlijk is voor onze deelnemende houding ten opzichte van medemensen.
Ook Bentham verdedigt barmhartigheid tegenover

dieren als een middel om een liefdeloze relatie met medemensen te voorkomen – hoewel hij die barmhartigheid op enkele plaatsen toch ook als vanzelfsprekend beschouwt.
In zijn 'Afstamming van de mens' schrijft Darwin, dat het gevoel van medeleven, dat het maatschappelijk instinct doortrekt, tenslotte zó sterk wordt, dat het zich tot alle mensen, ja zelfs tot dieren uitstrekt. Maar hij gaat verder niet op dit probleem en op de betekenis van dit feit in en volstaat ermee de ethiek van de menselijke kudde te ontwerpen.
Zo is het voor het Europese denken een dogma, dat de ethiek eigenlijk alleen te maken heeft met de relatie mens-mens en mens-maatschappij. Aansporingen van figuren als Schopenhauer en Stern om die verouderde muren rond de ethiek te slopen, werden niet begrepen.
Deze achterlijkheid is des te onbegrijpelijker, wanneer we ons realiseren, dat het Indische en Chinese denken, nog maar amper enigszins tot ontwikkeling gekomen, de ethiek betrekken op een vriendschappelijke relatie met alle schepselen. En zelfs zijn beide onafhankelijk van elkaar hiertoe gekomen. De zo subtiele en vérstrekkende geboden van eerbied voor dieren in de populaire Chinese ethiek 'Kan-Ying-P'ien' ('Over de beloningen en straffen') gaan beslist niet, zoals men gewoonlijk aanneemt, terug op Boeddhistische invloeden. Ze staan niet in verband met metafysische reflecties over de saamhorigheid van alle creaturen, zoals ze bij de verruiming van de ethische horizon in het Indische denken functioneerden, maar ze spruiten voort uit een vitaal, ethisch besef, dat de moed heeft de consequenties te trekken die het natuurlijk toeschijnen.
Wanneer het Europese denken zich ertegen verzet de toewijding universeel te maken, vindt dat z'n oorzaak in het feit, dat het aanstuurt op een rationele ethiek, die

over algemeen geldende uitspraken beschikt. De kans, dat men tot zo'n ethiek komt, is alleen aanwezig, wanneer men als vaste grond onder de voeten het fundament weet te bewaren van de bezinning op de belangen van de menselijke samenleving. Een ethiek echter, die zich bezighoudt met de verhouding van de mens tot alle schepselen, verlaat dit fundament. Zij voelt zich geroepen om over het bestaan als zodanig te reflecteren. Of ze wil of niet, ze wordt in het avontuur gestort van een confrontatie met de natuurfilosofie – en het einde hiervan is niet te overzien.

Dit is juist geredeneerd. Maar het bleek reeds, dat de objectieve en normatieve ethiek van de gemeenschap (wanneer die zich althans op deze manier laat concipiëren) niet de werkelijke ethiek is, maar steeds slechts een aanhangsel ervan. Verder staat vast, dat de werkelijke ethiek immer subjectief is, irrationeel enthousiasme als levensadem heeft en in dialoog moet treden met natuurfilosofie. De ethiek van de toewijding heeft dus geen enkele reden om zich van het in elk geval onvermijdelijke avontuur te laten afhouden. Haar huis is afgebrand. Laat ze de wereld intrekken om haar fortuin te zoeken.

Ze zal de stelling moeten aandurven, dat de toewijding niet alleen op mensen, maar ook op andere schepselen, ja zelfs op al het leven dat zich in de wereld aandient en met de mens in aanraking komt, betrekking zal moeten hebben. Ze zal zich het hoge besef moeten eigen maken, dat de verhouding van de ene mens tot de andere slechts een uitdrukking is van de verhouding, waarin de mens tot het zijn en tot de wereld in het algemeen staat. Nadat ze aldus een kosmisch karakter heeft gekregen, kan de ethiek der toewijding de hoop koesteren de ethiek der zelfvervolmaking, die van huis uit kosmisch is, te ontmoeten en zich met haar te verbinden.

Maar opdat de ethiek der zelfvervolmaking kan ingaan op de ethiek der toewijding, zal ze zelf eerst op de juiste manier kosmisch moeten worden.
Van oorsprong is de ethiek der zelfvervolmaking kosmisch, omdat zelfvervolmaking er alleen maar in kan bestaan, dat de mens de juiste relatie krijgt tot het Zijn, dat in hem en buiten hem is. Op grond van z'n natuurlijke, uiterlijke band met het Zijn wil hij er zich geestelijk, innerlijk aan overgeven en zijn passieve en actieve verhouding tot de dingen door deze overgave laten bepalen. Bij dit streven echter komt hij totnogtoe steeds maar niet verder dan tot een passieve overgave aan het Zijn. De actieve overgave valt telkens weer buiten z'n horizon. Deze eenzijdigheid verhindert, dat de ethiek van de zelfvervolmaking en de ethiek van de overgave elkaar wederzijds doordringen en samen de complete ethiek van de passieve en actieve zelfvervolmaking tot stand brengen.
Hoe komt het nu, dat de ethiek van de zelfvervolmaking ondanks alle ondernomen pogingen de kring van de passiviteit niet weet te doorbreken? De reden is, dat zij de geestelijke, innerlijke overgave aan het Zijn niet op het werkelijke Zijn, maar op een abstracte totaliteit van het Zijn projecteert. Daarmee gaat ze op een foutieve wijze in op de natuurfilosofie.
Hoe ontstond deze dwaling? Ze is een gevolg van de problemen, die de ethiek van de zelfvervolmaking ontmoet, wanneer zij met behulp van de natuurfilosofie tot helderheid probeert te komen.
Even vreemd als diepzinnig treedt het Chinese denken in dialoog met de natuurfilosofie. Het meent, dat in het 'onpersoonlijke' van het wereldgebeuren op één of andere manier het geheim van het waarachtig ethische schuilt. In verband hiermee betekent de geestelijke overgave aan het Zijn voor dit denken, dat wij afzien van

onze interne subjectieve impulsen en ons oriënteren aan de wetten van de objectiviteit, die we in het wereldgebeuren ontdekken.
Op dit mysterieuze en diepingrijpende 'worden als de wereld' concentreert zich het denken van Lao-Tse en Tschuang-Tse. Wonderbaar klinken de motieven van een dergelijke ethiek in Lao-Tse's Tao-Te-King, maar ze laten zich niet tot een symphonie uitwerken. De zin van het gebeuren is ondoorgrondelijk voor ons. Het enige, dat we ervan begrijpen, is dat alle leven zich wil uitleven. De ware ethiek van het leven in de 'zin van het gebeuren' zou dus in ieder geval de ethiek van Yang-Tse en Friedrich Nietzsche zijn. Het aannemen van een in het wereldgebeuren geldende objectiviteit, waaraan we ons voor ons handelen zouden moeten spiegelen, is echter niets anders dan een poging om met vale, nietszeggende kleuren de wereld een ethisch tintje te geven. Het zijn volgens de zin der wereld kan bij Lao-Tse en Tschuang-Tse nu maar één ding betekenen: je distantiëren van hartstochten en uiterlijke omstandigheden – en dit gaat dan gepaard met een duidelijke minachting voor alles wat ook maar zweemt naar activiteit. Waar het leven naar de 'zin der wereld' het tot werkelijk actieve ethiek brengt, zoals bij Kung-Tse (Confucius) en Mi-Tse (Mo-Di) en anderen, heeft men aan de 'zin der wereld' een hiermee overeenstemmende interpretatie gegeven. We zien steeds, dat de ethische wil van de mens, wanneer het 'zijn als de wereld' tot ethiek wordt verheven, op de één of andere wijze de wereldgeest een ethisch karakter verleent, teneinde zich er aldus in te kunnen herkennen.
Aangezien in het wereldgebeuren geen ethische imperatieven te bespeuren zijn, moet de ethiek der zelfvervolmaking de passieve en de actieve ethiek dus samen laten ontspringen aan het blote feit van de geestelijke, innerlijke overgave aan het Zijn. Ze moet beide afleiden uit de

daad op zichzelf, zonder bij voorbaat welke ethische kwaliteit van het Zijn dan ook te poneren. Pas dan is het denken zonder naïviteiten en slimmigheden, tot volledige ethiek gekomen.
Dit is het probleem, waarmee de ethische reflectie bij alle volken en in alle tijden zich tevergeefs aftobt, voor zover ze zich inlaat met de geest van de ware natuurfilosofie. Bij de Chinezen, bij de Indiërs, in het Stoïcisme, bij Spinoza, bij Schleiermacher, bij Fichte, bij Hegel, in alle mystiek van het één-worden met het Absolute: steeds weer komt men slechts tot de resignatie-ethiek van het innerlijk vrij worden van de wereld – en nimmer tegelijk ook tot de ethiek van het actief bezig zijn in de wereld en op de wereld.
Werkelijk, maar heel zelden heeft de ethiek de moed haar onbevredigende resultaat eerlijk onder ogen te zien. Gewoonlijk tracht ze dit resultaat op te voeren en actieve ethiek toch nog min of meer te handhaven en in de één of andere vorm met de resignatie-ethiek te verbinden. Hoe consequenter de denkers zijn, des te bescheidener valt dit toegevoegde stuk uit.
Bij Lao-Tse, Tschuang-Tse, bij de Brahmanen, bij Boeddha, bij de oude Stoïcijnen, bij Spinoza, bij Schleiermacher, bij Hegel en bij de grote monistische mystici is de actieve ethiek tot niets gereduceerd. Bij Kung-Tse (Confusius), Meng-Tse (Mong Dsi), de Hindoese denkers, de vertegenwoordigers van het latere Stoïcisme en bij J. G. Fichte doet ze geweldige pogingen om zich te handhaven. Dit lukt haar echter alleen, wanneer ze haar toevlucht tot naïef of gekunsteld denken neemt.
Alle wereld- en levensbeschouwing, die aan het denken wil voldoen, is mystiek. Zij moet proberen het zijn van de mens een zodanige zin te geven, dat het hem niet genoeg is om heel vanzelfsprekend te existeren in het

oneindige Zijn, maar dat hij er zich ook door een actieve en bewuste daad innerlijk en geestelijk aan wil verbinden.

De ethiek van de zelfvervolmaking hangt innig samen met de mystiek. Wat de mystiek overkomt, is beslissend voor wat háár overkomt. Wie reflecteert over de ethiek van de zelfvervolmaking, probeert eigenlijk niets anders dan de ethiek te funderen vanuit de mystiek. Anderzijds is mystiek slechts in zoverre waardevolle wereld- en levensbeschouwing als ze ethisch is.

Ze slaagt er evenwel niet in om ethisch te worden. De ervaring van het één-worden met het Absolute, het zijn in de wereldgeest, het opgaan in God of hoe men het verder ook maar mag aanduiden, is op zichzelf niet ethisch, maar geestelijk. Het Indische denken heeft zich dit diepe onderscheid gerealiseerd. In de meest verschillende formuleringen poneert het: 'Geestelijkheid is geen ethiek'. Als Europeanen zijn we wat de mystiek betreft naïef gebleven. Wat wij voor mystiek plegen te houden, is doorgaans min of meer christelijk, dat wil zeggen ethisch getinte mystiek. Daarom vergissen we ons zo gemakkelijk inzake het ethisch gehalte van de mystiek.

Analyseert men het ethisch gehalte van de mystiek van alle volken en alle tijden, dan blijkt dit buitengewoon gering te zijn. Zelfs de ethiek van de resignatie of berusting, die toch van nature met de mystiek verbonden schijnt te zijn, ontbreekt het duidelijk aan enige spirit. Omdat de actieve ethiek, waarmee ze heel vanzelfsprekend zou moeten samengaan, afwezig is, verliest ze eigenlijk haar steun en glijdt ze geleidelijk af naar het niveau van de niet meer ethische berusting. Er ontstaat dan een mystiek, die niet meer het streven naar zelfvervolmaking dient – wat toch haar uiteindelijke functie is – maar het opgaan in het Absolute tot enig doel proclameert. Hoe puurder de mystiek is, des te meer heeft ze zich in deze geest ontwikkeld. Mystiek wordt dan de wereld- en levensbeschouwing van het opgelost worden van het eindige Zijn in het Oneindige– wanneer ze tenminste niet, zoals bij de Brahmanen, helemaal omslaat in de trotse mystiek van het zijn van het oneindige Zijn in het eindige. De ethiek der zelfvervolmaking, die uit de mystiek moet voortkomen, loopt dus voortdurend het risico in de mystiek ten onder te gaan.

De neiging van de mystiek om boven-ethisch te worden, is heel natuurlijk. Feitelijk heeft de verhouding tot iets ongekwalificeerds en tot iets, zo ontdaan van iedere behoefte, als het Absolute niets meer uit te staan met zelfvervolmaking. Ze wordt een loutere acte van het bewustzijn en leidt tot een geestelijkheid, die even inhoudloos is als het vooropgestelde Absolute zelf. Haar zwakheid voelend, probeert de mystiek doorgaans ethischer te zijn dan ze in werkelijkheid is – of tenminste ethisch te schijnen. Zelfs de Indische mystiek doet hiervoor de nodige moeite, hoewel ze aan de andere kant toch ook weer het lef heeft om comform haar diepste intentie het geestelijke boven het ethische te stellen.

Om te beoordelen wat de ethische waarde van mystiek is, mag men alleen de ethiek honoreren, die ze impliciet in zich draagt en niet ook datgene, wat ze er aan ethiek bijvoegt of bijredeneert. Dan is echter het ethisch gehalte zelfs van christelijke mystiek ontstellend gering. De mystiek is niet de vriendin, maar de vijandin van de ethiek en ze vernietigt de ethiek. En toch moet de ethiek, die het denken bevredigt, geboren worden uit mystiek. Alle diepe filosofie, alle diepe religie is tenslotte niets anders dan een worsteling om ethische mystiek en mystieke ethiek.

Omdat ons er alles aan gelegen is tot een actieve, ethische wereld- en levensbeschouwing te komen, besteden wij, Westerlingen, niet de minste aandacht aan mystiek. Ze doet zich slechts sporadisch voor en leidt een verborgen bestaan. Instinctief beseffen we, dat ze een bedreiging vormt voor actieve ethiek. Daarom voelen wij ons er beslist niet toe aangetrokken.

Onze grote vergissing is echter, dat we menen zonder mystiek een ethische wereld- en levensbeschouwing te kunnen ontwerpen, die het denken bevredigt. Totnogtoe doen we niets anders dan wereld- en levensbeschouwingen produceren. Ze zijn goed, omdat ze de mensen tot actieve ethiek aansporen. Maar júíst zijn ze niet. Daarom begeven ze het telkens weer. En ook gaan ze niet diep. Daarom maakt het Europese denken de mensen even ethisch als oppervlakkig. Omdat hij overvoerd wordt met op actieve ethiek geprogrammeerde wereldbeschouwingen, heeft de Europese mens geen geestelijke stabiliteit en geen innerlijke persoonlijkheid, ja geen behoefte hier meer aan.

Het is werkelijk tijd, dat we van deze dwaling afstappen. De wereld- en levensbeschouwing van de actieve ethiek heeft pas diepgang en rationele duurzaamheid, wanneer ze opgroeit uit de mystiek. De vraag, wat we met ons leven moeten doen, is nog niet beantwoord, wanneer men ons bruisend van activiteit de wereld injaagt en ons niet meer tot bezinning laat komen. Ze kan slechts werkelijk beantwoord worden door een wereld- en levensbeschouwing, die de mens in een geestelijke, innerlijke verhouding tot het Zijn brengt; en vanuit deze relatie ontstaan dan onontkoombaar passieve en actieve ethiek.

De tot nog toe vigerende mystiek is hier niet toe bij machte, omdat ze boven-ethisch is. Het denken moet zich dus omvormen tot ethische mystiek. We moeten ons verheffen tot een geestelijk besef, dat ethisch is en tot een ethiek, die al het geestelijke omvat. Dan pas zijn we in de ware zin van het woord tegen het leven opgewassen, zijn we mensen die het leven in hun vingers hebben. De ethiek moet aan de mystiek willen ontspringen. Van haar kant mag de mystiek nooit menen, dat zij er louter en alleen om zichzelf is. Ze is niet de bloem, doch slechts de kelk van een bloem. De bloem is de ethiek. Mystiek, die er alleen maar omwille van zichzelf bestaat, is het zout, dat smakeloos wordt.

Tot nog toe leidt de mystiek tot het boven-ethische, omdat ze abstract is. Abstractie is de dood van de ethiek, want ethiek betreft een levende relatie tot levend leven. Daarom moeten we de abstracte mystiek opgeven en ons wenden tot de levende mystiek.

Het Alzijn, het Absolute, de Wereldgeest en al dergelijke uitdrukkingen betekenen niet iets werkelijks, maar iets bedachts, iets abstracts – iets dat we ons om die reden dan ook onmogelijk kunnen voorstellen. Wérkelijk is alleen het zich in concrete gestalten manifesterende Zijn.

Hoe komt het denken toch tot de absurditeit de mensen met een onwerkelijk, een verzonnen iets een geestelijke relatie te laten aangaan? Een tweevoudige verzoeking, een algemene en een bijzondere, speelt hier een rol.

Omdat het denken zich nu eenmaal in woorden moet uitdrukken, maakte het zich de door de taal gestempelde abstracties en symbolen eigen. Deze munt heeft alleen waarde, wanneer zij de mogelijkheid schept bepaalde zaken, die zich normaal alleen maar met een omhaal van woorden laten aanduiden, kort en bondig te presenteren. Maar dan zie je gebeuren, dat het denken met deze abstracties en symbolen aan de haal gaat alsof ze heuse gegevens uit de werkelijkheid waren. Dit is de algemene verzoeking.

De bijzondere verzoeking steekt met het oog op deze kwestie hierin, dat de overgave van de mens aan het

oneindige Zijn zich met behulp van abstracties en symbolen tot een verleidelijk eenvoudige expressie laat brengen. Die overgave houdt dan in, dat de mens met de totaliteit van het Zijn, het geestelijk integratiepunt van het Zijn, in relatie treedt.
Dit zijn mooie woorden en mooie gedachten, het lijkt allemaal prachtig.
De werkelijkheid heeft er echter geen flauw idee van, dat het individu met de totaliteit van het Zijn een verhouding kan aangaan. Zoals ze alleen weet heeft van het zich in het afzonderlijke wezen manifesterende Zijn, zo kent ze ook maar enkel relaties van het ene afzonderlijke wezen met het andere afzonderlijke wezen. Wil de mystiek dus reëel zijn, dan rest haar niets anders dan afstand te doen van de abstracties, waaraan ze is gewoon geraakt en eerlijk uit te spreken, dat ze met de voorstelling van het Alzijn niets zinnigs kan beginnen. Het Absolute mag haar net zo onverschillig worden als een bekeerde neger zijn fetisch. Heel serieus moet ze zich bekeren tot de mystiek van de werkelijkheid. De decoraties en declamaties van het toneel achter zich latend, moet ze maar's proberen zich in de levende natuur te realiseren.
Een totaliteit van het Zijn, een Alzijn is er niet, enkel een oneindig Zijn in oneindige gestalten. Alleen door de openbaringen van het Zijn en slechts door die, waarmee ik een relatie krijg, verkeert mijn zijn met het oneindige Zijn. Overgave van mijn zijn aan het oneindige Zijn is overgave van mijn zijn aan alle manifestaties van het Zijn, die mijn overgave nodig hebben en waaraan ik mij kan wijden.
Slechts een oneindig klein deel van het oneindige Zijn komt binnen mijn bereik. Het andere gaat aan mij voorbij – als verre schepen, waarnaar ik onbegrepen signalen uitzend. Mij echter overgevend aan datgene, wat binnen mijn bereik komt en mij nodig heeft, realiseer ik de

geestelijke, innerlijke overgave aan het oneindige Zijn en geef ik daarmee betekenis en glans aan mijn povere bestaan. De rivier heeft haar zee gevonden.
In de overgave aan het Absolute ontstaat niets anders dan slechts dode geestelijkheid. Ze is een louter intellectuele daad. Er zitten geen ethische imperatieven aan vast. Zelfs de ethiek van de resignatie weet haar bestaan op de akker van het intellectualisme slechts uiterst moeizaam en armetierig te rekken. In de mystiek van de werkelijkheid echter is de overgave niet meer een zuiver intellectuele daad, maar een acte waaraan de mens met alles wat in hem leeft volop deelneemt. Ze is doordrongen van iets geestelijks, dat de elementaire drang tot activiteit in zich draagt. De gruwelijke waarheid, dat het geestelijke en ethiek twee aparte werelden vormen, gaat hier niet meer op. Hier zijn beide één en hetzelfde.
Thans kunnen ook de ethiek van de zelfvervolmaking en de ethiek van de overgave tot hun recht komen. Ze krijgen nu zelfs een kosmisch karakter in de natuurfilosofie, die de wereld gewoon laat zoals ze is. Daarom kunnen beide elkaar slechts ontmoeten in een het denken compleet vervullend besef van levende overgave aan het levende Zijn. De passieve en actieve zelfvervolmaking liggen er nauw verbonden en volkomen geïntegreerd in besloten. Ze beschouwen zichzelf en elkaar als het effect van één en dezelfde innerlijke inspiratie. Nu ze tot een akkoord zijn gekomen, hoeven ze zich niet nog eerst in te spannen om de volledige ethiek van het werken in de wereld op basis van het vrij worden van de wereld samen te concipiëren. De ethiek is nu automatisch volledig. In fascinerende harmonieën klinken nu alle tonen van de ethiek, vanaf de lichte en zwevende, waarin berusting zich als ethiek begint te laten gelden, tot aan de hoge tonen, waarin ethiek overgaat in het geroezemoes van de door de samenleving voor ethisch

uitgegeven noties en statements.
De subjectieve, zowel uiterlijk als innerlijk grenzeloos geworden verantwoordelijkheid voor al het leven, waarmee wij in aanraking komen – zoals ieder mens, die innerlijk vrij geworden is van de wereld, die ervaart en tracht te verwezenlijken: dat is ethiek. Ze ontstaat uit wereld- en levensaanvaarding. Ze verwerkelijkt zich in levensontkenning. Van binnenuit bezielt haar een optimistisch willen. Het geloof in de vooruitgang kan zich niet meer van de ethiek losmaken – zoals een slecht gemonteerd wiel van een wagen. Onafscheidelijk lopen beide op dezelfde as.
Het logisch noodzakelijke grondprincipe van het ethische – dat inhoud heeft en zich onafgebroken, vitaal en zakelijk inlaat met de werkelijkheid – luidt: overgave aan het leven uit eerbied voor het leven.

6. DE ETHIEK VAN DE EERBIED VOOR HET LEVEN

Van de meest ingewikkelde en moeilijke wegen moet het ontspoorde en arrogante ethische denken in goede banen worden geleid. De koerswijziging kan zich echter vrij eenvoudig voltrekken, wanneer de ethische reflectie, in plaats van af te buigen naar schijnbaar gemakkelijke en korte routes, van meet af aan de juiste richting inslaat. Hierbij gelden drie condities: a. de ethische reflectie moet zich ver houden van iedere ethische interpretatie van de wereld; b. ze moet een kosmisch en mystiek karakter krijgen, dat wil zeggen, dat ze iedere vorm van overgave, die zich in de ethiek voordoet, probeert te duiden als een expressie van een innerlijke, spirituele relatie met de wereld; en c. ze moet niet in een abstract denken vervallen, maar elementair blijven: overgave aan de wereld zal ze moeten zien als overgave van het menselijk leven aan al het levende zijn, waarmee het in contact kan komen.

Er is sprake van ethiek, wanneer ik de aanvaarding van de wereld, die evenals de aanvaarding van het leven op een natuurlijke wijze voortvloeit uit mijn wil tot leven, tot in uiterste consequentie doordenk en tracht te realiseren.

Iemand krijgt ethisch gestalte, wanneer hij waarachtig en consequent leert denken.

Denken is de dialoog, die in mij plaatsvindt, tussen willen en beseffen. Deze dialoog verloopt op een naïeve manier, wanneer de wil van het besef verlangt, dat het hem confronteert met een wereld, die beantwoordt aan de impulsen, die hij in zich draagt, en wanneer het besef

pogingen doet om aan dit verlangen gehoor te geven. In plaats van deze per definitie vruchteloze dialoog, moet een dialoog komen, waarin de wil alleen datgene van het besef verlangt, waarmee het vertrouwd is.
Deelt het besef enkel mee, wat het kent, dan brengt het de wil geleidelijk één en dezelfde wetenschap bij, namelijk dat achter en in alles wat zich afspeelt de wil tot leven ligt. Het enige dat het steeds dieper en omvattender besef kan doen is: ons steeds dieper en verder invoeren in het mysterie, dat alles, wat existeert, wil tot leven is. De vooruitgang van de wetenschap bestaat slechts hierin, dat ze de gestalten waarin het veelvormige leven zich manifesteert met steeds grotere nauwkeurigheid beschrijft, ons oog geeft voor leven dat ons totnogtoe ontgaan was en ons in de gelegenheid stelt om op de één of andere wijze ons voordeel te doen met het in kaart gebrachte proces, dat de wil tot leven in de natuur doormaakt. Wat echter 'leven' is, kan geen wetenschap ons vertellen.
Voor de wereld- en levensbeschouwing betekent de kennis dus niet méér dan dat zij het ons moeilijk maakt onverschillig aan alles voorbij te leven, omdat zij ons steeds sterker bepaalt bij het mysterie van de zich overal openbarende wil tot leven. Daarom is het verschil tussen geleerd en niet-geleerd, geletterd en ongeletterd, uitermate betrekkelijk. De ongeletterde, die bij het zien van een bloeiende boom getroffen wordt door het geheim van de levenswil, die deze boom uitstraalt, heeft meer in z'n mars, is wijzer dan de geletterde, de geleerde, die duizend fenomenen van de levenswil onder de microscoop of fysiek en chemisch bestudeert, maar bij alles wat hij weet omtrent het proces der verschijnselen van de levenswil tóch ongevoelig blijft voor het mysterie, dat alles wat existeert wil tot leven is – waar het hem in zijn verdwazing uitsluitend om gaat, is slechts een fragment

van het hele levensproces exact te beschrijven.
Alle werkelijke kennis gaat over in ervaring. De essentie van alles wat zich voordoet ken ik niet, maar in confrontatie met de wil tot leven die ik in mijzelf voel krijg ik er vat op. Zo wordt mijn kennis aangaande de wereld tot ervaring van de wereld. Op grond van deze tot ervaring wordende kennis blijf ik ten overstaan van de wereld geen louter kennend subject, maar krijg ik met die wereld een innerlijke relatie. Ik word vervuld met eerbied voor de mysterieuze, zich in alles uitende wil tot leven. M'n in ervaring overgaande kennis brengt me tot reflectie en verwondering en inspireert mij gaandeweg tot de zo verheven mentaliteit van de eerbied voor het leven. Heb ik dit hoge niveau eenmaal bereikt, dan laat de kennis mijn hand los. Verder kan zij mij niet geleiden. Van nu af aan moet mijn wil tot leven op eigen kracht z'n weg in de wereld zoeken.
Het is niet zo, dat ik mijn relatie met de wereld te danken heb aan een kennis, die mij nauwgezet informeert over de betekenis van de diverse levensfenomenen in het grote geheel van de wereld. De regio's, waarin de kennis mij geleidt, bevinden zich in de sfeer van het innerlijke, niet van het uiterlijke. Van binnenuit wijst zij mij op de wereld, terwijl zij mijn wil tot leven stimuleert om alles wat zich rondom mij afspeelt mee te ervaren als wil tot leven.
Bij Descartes is de filosofie geënt op de stelling: 'Ik denk, dus ik besta'. Met dit armetierige, willekeurig gekozen standpunt komt ze onherroepelijk in het klimaat van het abstracte. Het is haar onmogelijk entree te krijgen tot de ethiek en ze blijft gevangen in een dode wereld- en levensbeschouwing. Werkelijke filosofie moet stoelen op het meest directe en omvattende bewustzijnsfeit. Dit luidt: 'Ik ben leven, dat leven wil, te midden van leven, dat leven wil'. Dit is geen slim ge-

construeerde these. Iedere dag, ieder uur leef ik ermee, is ze concrete realiteit voor mij. In ogenblikken van bezinning dringt ze telkens weer in alle hevigheid tot me door. Als uit een nimmer opdrogende wortel schiet er steeds weer een levende wereld- en levensbeschouwing uit op, die alle aspecten van het bestaan omvat. Een mystiek-ethisch één worden met het Zijn ontspruit eraan.

Zoals mijn wil tot leven het vurige verlangen kent naar de prolongatie van het leven en naar de mysterieuze extase van de wil tot leven, die men lust noemt – en zoals mijn wil tot leven de angst voor de vernietiging kent en de geheimzinnige aantasting van de wil tot leven, die pijn wordt genoemd: zo is het ook gesteld met de wil tot leven om mij heen, en het maakt daarbij niets uit of deze wil tot leven zich tegenover mij kan uiten of dat hij sprakeloos blijft.

Ethiek betekent dus, dat ik mij genoodzaakt voel alle wil tot leven met dezelfde eerbied voor het leven te bejegenen als mijn eigen wil tot leven. Hiermee is het logisch onontkoombare grondprincipe van het zedelijke gegeven. Goed is: leven behouden en leven bevorderen; verkeerd is: leven vernietigen en leven beschadigen.

Inderdaad kan alles, wat de gangbare ethische waardering in intermenselijke relaties voor goed houdt, herleid worden tot materieel en psychisch behouden en bevorderen van menselijk leven en tot het streven dit menselijk leven tot z'n hoogste ontwikkeling te brengen. Omgekeerd is alles, wat in intermenselijke relaties als slecht geldt, uiteindelijk materiële of psychische vernietiging of beschadiging van menselijk leven en een verzaking van het streven om dit leven tot z'n hoogste ontplooiing te brengen. Allerlei losstaande uitspraken inzake goed en kwaad, die sterk uiteenlopen en ogenschijnlijk niets met elkaar te maken hebben, voegen zich als prachtig op

elkaar toegesneden fragmenten tot een harmonieus geheel, zodra ze geïnterpreteerd en verdiept worden in het perspectief van deze veel algemener en fundamenteler definitie van goed en kwaad.
Het logisch onontkoombare grondprincipe van het zedelijke betekent echter niet alleen, dat de heersende opvattingen inzake goed en kwaad geïntegreerd en verdiept moeten worden – ze moeten ook een verbreding ondergaan. Enkel dan is de mens werkelijk ethisch, wanneer hij gehoor geeft aan het appèl álle leven, dat hij kan assisteren, te helpen en wanneer hij er voor huivert welke vorm van leven dan ook te benadelen. Het vraagt zich niet af in hoeverre een bepaalde manifestatie van leven de moeite en de aandacht waard is, en ook niet of en in hoeverre deze levensuiting gevoel bezit. Het leven als zodanig is hem heilig. Hij rukt geen blad van een boom, vernielt geen bloem en past er voor op, dat hij geen insect vertrapt. Wanneer hij in een zomernacht bij lamplicht zit te werken, houdt hij liever het raam gesloten en ademt hij bedompte lucht in dan dat hij het ene insect na het andere met verschroeide vleugels op zijn tafel ziet vallen.
Gaat hij na een regenbui de straat op en ziet hij daar een verdwaalde regenworm rondkruipen, dan realiseert hij zich, dat het beestje in de zon moet verdrogen, wanneer het niet bijtijds op een plekje komt waar het de aarde kan induiken – dus pakt hij het van de stenen, die z'n dood betekenen, en legt hij het in het gras. Passeert hij een plas, waarin een insect is gevallen, dan neemt hij er alle tijd voor om het diertje op een blad of een halm te krijgen en zo voor de ondergang te behoeden.
Het kan hem niets schelen, dat men hem voor sentimenteel zal uitmaken. Iedere waarheid is nu eenmaal, voordat ze algemeen geaccepteerd wordt, voorwerp van spot. De stelling, dat kleurlingen werkelijk mensen zijn

en menselijk behandeld moeten worden, gold eens als volstrekte dwaasheid. Deze dwaasheid is tot waarheid geworden. Vandaag klinkt het erg overdreven om het consequente respect voor alles wat leeft, ook voor het leven in z'n meest bescheiden expressies, als uitgangspunt van een rationele ethiek te poneren. De tijd zal echter aanbreken, dat men zich er over zal verbazen dat de mensheid pas in zo'n laat stadium de onverschillige aantasting van het leven als ethisch onaanvaardbaar leerde afwijzen.

Ethiek is grenzeloos geworden verantwoordelijkheid voor alles wat leeft.

De definitie van ethiek: je gedragen volgens de mentaliteit van de eerbied voor het leven – komt in haar algemeenheid wat koud over. Maar deze definitie is de enige, die als volledig kan gelden. Medelijden is een te beperkte categorie om voor het centrum van het ethische te kunnen doorgaan. Medelijden betekent immers alleen engagement ten aanzien van de lijdende wil tot leven. Ethiek stelt evenwel méér voor: engagement met betrekking tot álle toestanden en álle aspiraties van de wil tot leven. Ook z'n lust, ook z'n verlangen om zich uit te leven, ook z'n drang naar vervolmaking vallen eronder. Het woord liefde zegt al wat meer, omdat hierin medelijden, maar ook meeleven in vreugde en partnership liggen besloten. De notie liefde geeft echter alleen in de vorm van een gelijkenis uitdrukking aan het ethische, zij het ook in de vorm van een natuurlijke en diepe gelijkenis. Ze associeert de door ethiek geschapen solidariteit met de solidariteit, die de natuur langs fysieke weg wat langer of korter laat ontstaan tussen twee wezens, die elkaar qua sexe aanvullen – of laat ontstaan tussen deze twee wezens en hun nageslacht.

De reflectie moet proberen de essentie van het ethische als zodanig te formuleren. Ze móét dan wel ethiek als toewijding aan het leven definiëren – een toewijding, die haar motief vindt in de eerbied voor het leven. Misschien spreekt de uitdrukking 'eerbied voor het leven', als té algemeen, weinig tot de verbeelding. Toch laat datgene, wat er door wordt aangeduid, de mensen niet meer los, wanneer ze er eenmaal oog voor hebben gekregen. Medelijden, liefde – eigenlijk alle edele en verheven inspiraties liggen erin. Met een onvermoeibare vitaliteit werkt de eerbied voor het leven in op de attitude, waarin ze werd opgenomen en bezorgt deze de permanente onrust van een nimmer en nergens ophoudende verantwoordelijkheid. Evenals de door het water woelende schroef het schip voortstuwt, zo is de drijvende kracht voor de mens de eerbied voor het leven.

De ethiek van de eerbied voor het leven is uit innerlijke noodzaak geboren en daarom maakt het niet uit in hoeverre zij zich weet te verdiepen tot een bevredigende levensbeschouwing. Ze hoeft geen antwoord te geven op de vraag welke betekenis de op behoud, bevordering en ontplooiing van leven toegespitste activiteiten van ethische mensen in het geheel van het wereldgebeuren kan hebben. Ze laat zich niet van de wijs brengen door de overweging, dat de door haar geambieerde bescherming en ontwikkeling van leven bijna volledig overschaduwd worden door de geweldige vernietiging van leven als gevolg van allerlei natuurrampen. Terwijl ze volop actief is, mag de ethiek van de eerbied voor het leven toch alle problemen, die samenhangen met de resultaten van haar activiteit, ter zijde schuiven. Het feit op zichzelf, dat in de ethisch geworden mens een van eerbied voor het leven en toewijding aan het leven vervulde wil tot leven in de wereld optreedt, is het enige dat in dit verband voor de wereld van belang is.

In mijn wil tot leven openbaart zich de universele wil tot leven op een ander manier dan in z'n overige manifesta-

ties. In het laatste geval is er sprake van een individualisering, waarbij de universele wil tot leven althans voor het oog alleen belust is op een zichzelf uitleven, niet op een één worden met welke andere wil tot leven ook. De wereld is het gruwelijk toneel van de tweespalt, die er heerst in de wil tot leven. Het ene bestaan handhaaft zich ten koste van het andere, ja het ene bestaan vernietigt het andere. De ene wil tot leven poneert zich alleen maar met kracht tegenover de andere wil tot leven, hij kent en verstaat die andere wil tot leven echter niet. Maar in mij heeft de wil tot leven weet gekregen van de wil tot leven in andere schepselen. Diep in mijn wil tot leven is het verlangen aanwezig op te gaan in een grotere eenheid, universeel te worden.
Waarom ervaart de wil tot leven zich op deze manier alleen in mij? Komt het, omdat ik het vermogen verworven heb te reflecteren over de totaliteit van het Zijn? Waarheen leidt de evolutie, die ooit in mij een aanvang nam?
Op deze vragen valt geen antwoord te geven. Het blijft voor mij een smartelijk mysterie met eerbied voor het leven in een wereld te leven, waarin de wil tot creatie tegelijk als de wil tot vernietiging en de wil tot vernietiging tegelijk als de wil tot creatie heerst.
Ik kan mij alleen maar aan de realiteit vastklampen, dat de wil tot leven in mij zich openbaart als de wil tot leven, die met de wil tot leven van andere creaturen één wenst te worden. Dit feit is voor mij het licht, dat schijnt in de duisternis. De onwetendheid, waarin de wereld verkeert, is van mij weggenomen. Ik ben in dit opzicht van de wereld verlost. Door de eerbied voor het leven ben ik in een onrust terechtgekomen, die de wereld niet kent. Een zaligheid, zoals de wereld niet kan geven, wordt dank zij deze onrust mijn deel. Wanneer in de zachtmoedigheid van het anders zijn dan de wereld een ander

en ik elkaar met begrip en vergeving bijstaan, waar er anders een conflict zou uitbreken tussen de wil van de één en de wil van de ander, is de tweespalt binnen de wil tot leven opgeheven. Als ik een insect uit een plas red, dan heeft het ene leven zich aan het andere leven gewijd en is er een eind gekomen aan de tweespalt des levens. Waar op de één of andere wijze mijn leven zich in dienst stelt van een ander leven, ervaart mijn eindige wil tot leven het één worden met het Oneindige, waarin alle leven een eenheid is. Ik word onthaald op een verkwikking, die voorkomt dat ik in de woestijn van het leven versmacht.
Daarom ben ik er van overtuigd, dat het de bestemming van mijn bestaan is om de hogere openbaring van de wil tot leven in mij gehoorzaam te zijn. Ik zie het als mijn levenstaak om – zover de invloed van mijn bestaan maar reikt – de tweespalt binnen de wil tot leven op te heffen. Doordrongen van dit ene, dat zonder meer geboden is, zwijg ik verder over het mysterie van de wereld en van mijn bestaan in die wereld.
De intuïtie en het verlangen van alle diepe religiositeit zijn opgenomen in de ethiek van de eerbied voor het leven. Maar deze ethiek werkt één en ander niet uit tot een gesloten wereldbeschouwing, maar berust erin de dom onvoltooid te moeten laten. Alleen met het koor komt ze klaar. Daarin viert de vroomheid echter een levende en onafgebroken eredienst ...

De ethiek van de eerbied voor het leven bewijst ook híérin haar fundamentele betekenis, dat zij de samenhang honoreert van de verschillende ethische concepties. Geen enkele ethiek heeft tot nog toe het streven naar zelfvervolmaking, op basis waarvan de mens, afgesloten van de wereld, aan zichzelf arbeidt, én de actieve ethiek in hun parallellie en onderlinge verwevenheid

bevredigend kunnen vastleggen. De ethiek van de eerbied voor het leven is hiertoe in staat, en wel zo, dat ze niet alleen academische vragen oplost, maar ook verdieping van het ethische inzicht bewerkstelligt.
Ethiek is eerbied voor de wil tot leven zowel in als buiten mij. Uit de eerbied voor de wil tot leven in mij komt in de eerste plaats de diepe levensaanvaarding van de berusting voort. Ik vat mijn wil tot leven niet alleen op als iets, dat zich uitleeft in gelukkige gebeurtenissen, maar ook als iets, dat zichzelf ervaart. Wanneer ik mij deze zelfervaring niet door nonchalance laat ontglippen, maar haar blijf koesteren als iets uitermate waardevols, openbaart zich aan mij het geheim van de geestelijke zelfhandhaving. Een ongekende vrijheid ten opzichte van de lotswisselingen van het leven valt mij ten deel. In de meest verpletterende situaties voel ik me, tot m'n eigen verrassing, boven mezelf uitstijgen, vervuld van het onuitsprekelijke geluk bevrijd te zijn van de wereld – en ik ervaar daarbij dan een loutering van mijn levensbeschouwing. Berusting is de hal, waardoor we de ethiek binnentreden. Alleen hij, die in verdiepte overgave aan de eigen wil tot leven tot een innerlijke vrijheid komt tegenover de wereld rondom, is in staat zich intensief en continu aan een ander leven te wijden.
Zoals ik uit eerbied voor mijn wil tot leven om de bevrijding van de noodlottigheden des levens worstel, zo worstel ik ook om de bevrijding van mijzelf. Niet alleen met het oog op wat mij overkomt, maar ook met het oog op de manier, waarop ik mij inlaat met de wereld, beoefen ik de hogere zelfhandhaving. Uit eerbied voor mijn bestaan dwing ik me tot volstrekte eerlijkheid tegenover mezelf. Alles wat ik bereikte door tegen mijn overtuiging te handelen, zou ik de moeite niet waard vinden. Ik ben er als de dood voor om door ontrouw aan mijzelf mijn wil tot leven met een vergiftigde speer te verwonden.

Dat Kant het eerlijk zijn tegenover zichzelf zo in het centrum van de ethiek plaatst, getuigt van de diepte van zijn ethische reflectie. Maar omdat hij bij het zoeken naar de essentie van het ethische niet doorstoot tot de eerbied voor het leven, ontgaat hem de samenhang van het eerlijk zijn tegenover zichzelf en de actieve ethiek. Feitelijk gaat de ethiek van het eerlijk zijn tegenover zichzelf ongemerkt over in de toewijding, de overgave aan anderen. Op grond van het eerlijk zijn tegenover mijzelf kom ik tot daden, die zich dermate als akten van overgave aandienen, dat de gangbare ethiek ze afleidt uit overgave.

Waarom schenk ik iemand vergeving? De gangbare ethiek zegt: omdat ik medelijden met hem heb. De mens, die vergeeft, slaat dan een verschrikkelijk goed figuur en binnen het raam van deze ethiek kan hij zich te buiten gaan aan een vergiffenis, die een vernedering betekent voor degene, die hij iets kwijtscheldt. Zo maakt de gangbare ethiek vergeving tot een zoete triomf der overgave.

Met deze dubieuze, niet gelouterde manier van vergeven rekent de ethiek van de eerbied voor het leven radicaal af. Alle consideratie en alle vergeving is volgens haar een daad, waartoe het eerlijk zijn tegenover zichzelf zonder meer verplicht. Ik moet grenzeloos vergeven, omdat ik als ik niet zou vergeven in eerlijkheid tegenover mijzelf schromelijk te kort zou schieten – en het zou lijken alsof ik zelf niet even schuldig was als die ander tegenover mij schuldig is geworden. Omdat mijn eigen leven zo rijkelijk door leugen ontsierd is, moet ik leugen, die tegen mij begaan wordt, vergeven. Daar ik zelf zo dikwijls liefdeloos, hatelijk, lasterachtig, arglistig en hoovaardig ben, moet ik alle tegenover mij geuite liefdeloosheid, hatelijkheid, laster, arglistigheid en hoovaardij vergeven. Zwijgend en onopvallend moet ik vergeven. Eigenlijk

vergeef ik helemaal niet, ik laat het zelfs helemaal niet tot een veroordeling komen. Ook hier is geen sprake van overdrijving, maar van een noodzakelijke verbreding en verfijning van de gangbare ethiek.
De strijd tegen het kwaad, dat in de mens is, hebben we niet te voeren door anderen, maar door uitsluitend onszelf te oordelen. De strijd met onszelf en de eerlijkheid tegenover onszelf zijn de instrumenten, waarmee wij op anderen onze invloed uitoefenen. Zwijgend provoceren wij hen tot de worsteling om de diepe, uit de eerbied voor het eigen leven voortkomende geestelijke zelfhandhaving. Kracht maakt geen kabaal. Ze bestaat en werkt. Ware ethiek begint waar het gebruik van woorden ophoudt.
Het intiemste van actieve ethiek, ook wanneer het als overgave aan de dag treedt, ontspringt dus aan de eis van de eerlijkheid tegenover zichzelf en behoudt daarin zijn werkelijke waarde. De hele ethiek van het anders zijn dan de wereld stroomt slechts dan zuiver, wanneer ze uit deze bron voortvloeit. Niet uit goedheid jegens anderen ben ik zachtmoedig, vredelievend, geduldig en vriendelijk, maar omdat ik door deze mentaliteit de diepste zelfhandhaving realiseer. Eerbied voor het leven, die ik tegenover mijn eigen bestaan opbreng, en eerbied voor het leven, die ik tegenover het bestaan van anderen toon, gaan in elkaar over.

Aangezien de gangbare ethiek geen grondprincipe van het ethische bezit, stort ze zich al gauw in de discussie over de ethische conflicten. De ethiek van de eerbied voor het leven maakt daar niet zo'n haast mee. Zij neemt er de tijd voor haar grondbeginsel van het zedelijke zo breed mogelijk uit te meten. Vanuit haar eigen vaste standpunt bepaalt ze dan haar houding ten opzichte van de conflicten.

Met drie opponenten heeft de ethiek te maken: met de onnadenkendheid, met de egoïstische zelfhandhaving en met de maatschappij.
De eerste opponent houdt ze gewoonlijk niet voldoende in de gaten, omdat ze er niet openlijk mee in conflict komt. Onmerkbaar richt hij echter zijn aanvallen op haar.
De ethiek kan een uitgestrekt terrein in bezit nemen zonder slaags te raken met de troeven van het egoïsme. De mens kan veel goeds tot stand brengen, terwijl hij zich toch geen offers hoeft te getroosten. En is daarmee werkelijk een stuk van zijn leven gemoeid, dan is dit zo onbeduidend, dat hij er niet méér van voelt dan wanneer hij een haar of een huidschilfer kwijtraakt.
Het innerlijk vrij worden van de wereld, het trouw zijn aan zichzelf, het anders zijn dan de wereld, ja zelfs de overgave aan ander leven – voor een belangrijk percentage is het allemaal slechts een kwestie van duidelijk op dit alles toegespitste opmerkzaamheid. Wij schieten er zo sterk in te kort, omdat wij ons er niet bewust op toeleggen. We staan niet genoeg onder druk – onder de pressie van het innerlijke appèl tot ethisch handelen. Her en der sist de stoom uit de niet goed afgesloten ketel. Het hierdoor veroorzaakte energieverlies is in de gangbare ethiek zo groot, omdat deze ethiek geen universeel en op de reflectie inwerkend grondprincipe van het zedelijke ten dienste staat. Ze is niet bij machte de stoomketel te sluiten, ze onderwerpt hem zelfs niet eens aan een onderzoek. De eerbied voor het leven maakt zich echter steeds meer meester van het denken en doordringt gestadig en op een allesomvattende wijze het waarnemen, reflecteren en beslissen van de mens. Deze mens kan zich hier evenmin tegen verdedigen als het water de erin gedruppelde kleurstof verhinderen kan het te kleuren.
De strijd tegen de onnadenkendheid, de nonchalance,

vangt aan en gaat steeds verder.
Hoe staat echter de ethiek van de eerbied voor het leven tegenover de conflicten, die er tussen het innerlijke appèl tot overgave en de noodzakelijke zelfhandhaving rijzen? Ook ik ben onderworpen aan de in de wil tot leven heersende tweespalt. Op duizend en één manieren komt mijn existentie met anderen in conflict. Ik kom niet uit onder de noodzaak leven te vernietigen en leven te benadelen. Wanneer ik op een eenzaam pad wandel, betekent iedere stap die ik doe vernietiging en pijn voor de kleine, levende wezentjes, die er huizen. Om mijn bestaan te handhaven moet ik mij tegen het bestaan, dat mij schade berokkent, verweren. Ik ga er toe over de in mijn woning levende muizen te vervolgen, ik word de verdelger van de insecten die mijn huis binnendringen en op grote schaal roei ik de bacteriën uit, die een bedreiging voor mijn leven kunnen vormen. Mijn voedsel heb ik te danken aan de vernietiging van planten en dieren. Mijn geluk berust op de benadeling van medemensen.
Hoe blijft de ethiek overeind in de gruwelijke noodzaak, waaraan ik door de tweespalt in de wil tot leven onderworpen ben?
De gangbare ethiek zoekt een compromis. Zij probeert te formuleren in welke mate ik mijn bestaan en mijn geluk moet prijsgeven en in welke mate ik mijn bestaan en mijn geluk op kosten van het bestaan en geluk van ander leven mag behouden. Op deze wijze schept ze een toegepaste, relatieve ethiek. Wat in werkelijkheid niet ethisch, maar een combinatie van niet-ethische noodzakelijkheid en ethiek is, laat ze voor ethisch doorgaan. Daarmee sticht ze een verschrikkelijke verwarring. Ze veroorzaakt een steeds sterker wordende verdoezeling van het ethisch besef.
De ethiek van de eerbied voor het leven erkent geen relatieve ethiek. Als goed geldt bij haar slechts behouden

en bevorderen van leven. Alle vernietiging en aantasting van leven, onder welke omstandigheden ook begaan, houdt ze voor kwaad. Handige en onmiddellijk toepasbare compromissen tussen ethiek en noodzakelijkheid heeft ze niet in voorraad. Steeds opnieuw en op een steeds oorspronkelijker manier komt in de mens de absolute ethiek van de eerbied voor het leven tot overeenstemming met de werkelijkheid. Ze bespaart hem de conflicten niet, maar dwingt hem in ieder geval zelf te beslissen in hoeverre hij ethisch kan blijven en in hoeverre hij zich moet onderwerpen aan de noodzaak leven te vernietigen en te benadelen en daarmee schuld op zich moet laden. Niet door de aanwijzingen te volgen van een kant en klare instructie voor het treffen van schikkingen tussen het ethische en noodzakelijke maakt de mens in de ethiek de nodige vorderingen. Hij komt alleen vooruit, wanneer hij steeds meer oor krijgt voor het appèl van het ethische, steeds meer beheerst wordt door het vurige verlangen om leven te behouden en te bevorderen en steeds hardnekkiger weerstand biedt aan de noodzakelijkheid leven te vernietigen en aan te tasten. In ethische conflicten kan de mens slechts subjectieve beslissingen nemen. Niemand kan voor hem bepalen waar telkens de uiterste grens ligt van de mogelijkheid om te volharden in het behouden en bevorderen van leven. Hij alleen moet dit beoordelen, terwijl hij zich daarbij laat leiden door de hoogst opgevoerde verantwoordelijkheid tegenover het andere leven.

We mogen ons nimmer laten afstompen. We behouden onze integriteit, wanneer we de conflicten steeds dieper beleven. Het goede geweten is een uitvinding van de duivel.

Wat zegt de eerbied voor het leven over de relaties tussen de mens en het geschapene?

Wanneer ik welke vorm van leven dan ook benadeel,

moet ik er van overtuigd zijn dat het noodzakelijk is. Verder dan het onvermijdelijke mag ik beslist niet gaan, ook niet wanneer het schijnbaar om futiliteiten gaat. De boer, die op zijn weide duizenden bloemen geveld heeft als voedsel voor zijn koeien, moet er zich voor hoeden op weg naar huis bij wijze van tijdverdrijf zomaar een bloem in de berm af te slaan, want daarmee vergrijpt hij zich aan leven zonder dat harde noodzakelijkheid hem hiertoe prest.

Degenen, die met operaties of met medicamenten proeven doen op dieren of hen met ziekte verwekkende stoffen vaccineren om met de op deze manier verkregen resultaten mensen te kunnen helpen, mogen zich er nimmer mee geruststellen, dat zij met hun gruwelijke handelwijze een hoog ideaal dienen. In ieder afzonderlijk geval moeten ze zich ernstig hebben afgevraagd of het werkelijk noodzakelijk is een dier aldus op te offeren aan de mensheid. En ze moeten er tot het uiterste op gebrand zijn het lijden tot een minimum te beperken. Hoeveel kwalijks passeert er niet in wetenschappelijke instituten, omdat men – om tijd en moeite te sparen – nalaat narcose toe te passen! Hoe dikwijls worden dieren ook gekweld alleen maar om studenten algemeen bekende verschijnselen te demonstreren! Juist doordat het dier als proefdier in zijn smartelijk lijden zoveel waardevols voor de lijdende mensheid heeft opgeleverd, is er een nieuwe en unieke solidariteitsverhouding tussen het dier en ons ontstaan. We zijn nu wel gedwongen om alle schepselen zoveel mogelijk goed te doen. Wanneer ik een insect uit zijn nood verlos, probeer ik alleen maar iets af te lossen van de steeds weer aangroeiende schuld, die de mens heeft jegens het geschapene. Wanneer een dier ergens in dienst wordt gesteld van de mens, moet ieder van ons begaan zijn met het lijden, dat het dier omwille van die mens te dragen heeft. Niemand van ons

mag, voor zover het in zijn vermogen ligt, lijden tolereren dat niet verantwoord kan worden. Niemand mag zich hierbij wijs maken, dat hij zich zodoende zou mengen in zaken, die hem niets aangaan. Niemand mag de ogen sluiten en het lijden dat hij buiten zijn horizon wegduwt als niet bestaand beschouwen. Niemand make zich gemakkelijk af van de last van zijn verantwoordelijkheid. Dat er zoveel schepselen mishandeld worden, dat de dieren bij het spoortransport tevergeefs kreunen van dorst, dat het in onze slachthuizen zo ruw toegaat, dat in onze keukens dieren door ongeoefende handen op een smartelijke wijze aan hun eind worden gebracht, dat dieren door de wreedheid van mensen het onmogelijke moeten doorstaan of overgeleverd zijn aan het onbarmhartige spel van kinderen – de schuld hiervan drukt op ons allen.
We zijn bang op te vallen, wanneer we laten merken hoezeer wij het lijden, dat de mens het geschapene bezorgt, ons aantrekken. We gaan er vanuit, dat anderen 'verstandiger' werden dan wij door datgene, waar wij ons over opwinden, gewoon en vanzelfsprekend te vinden. Plotseling echter laten zij zich dan 's een woord ontvallen, waaruit blijkt, dat ook zij er nog niet in het reine mee gekomen zijn. Totnogtoe vreemd voor ons, staan ze ons nu zeer na. Het masker, waarachter wij elkaar bedriegen, valt af. We weten nu van elkaar, dat we ons samen niet kunnen onttrekken aan het gruwelijke, dat zich onophoudelijk in onze omgeving afspeelt. O, die ontdekking!
De ethiek van de eerbied voor het leven verbiedt ons, dat wij – door te zwijgen – elkaar op de mouw spelden dat we niet meer doorleven wat we als denkende mensen behoren te doorleven. Zij inspireert ons dit besef bij elkaar levend te houden en samen onverschrokken te spreken en te handelen naar de door ons ervaren verant-

woordelijkheid. Zij wakkert ons aan om waar het ook maar mogelijk is dieren, voor alle ellende die mensen dieren aandoen, op de één of andere wijze al helpend genoegdoening te bieden en zo een ogenblik boven de onbegrijpelijke gruwel van het bestaan uit te stijgen.

Ook met het oog op onze relatie met onze medemensen stelt de ethiek van de eerbied voor het leven ons voor een ontzettende, want onbegrensde verantwoordelijkheid. Ook hier presenteert ze ons weer geen systematische leer over de omvang van de toegestane zelfhandhaving. Ook hier gebiedt ze ons weer ons geval voor geval met de absolute ethiek van de overgave te verstaan. In overeenstemming met de door mij ervaren verantwoordelijkheid moet ik beslissen wat ik van mijn leven, mijn bezit, mijn rechten, mijn geluk, mijn tijd en mijn rust moet prijsgeven en wat ik van dit alles voor mijzelf mag behouden.

Ter zake van het bezit is de ethiek van de eerbied voor het leven uitgesproken individualistisch in die zin, dat het verworven of geërfde eigendom niet door de één of andere maatschappelijke maatregel, maar alleen door een in absolute vrijheid genomen beslissing van het individu in dienst van de gemeenschap gesteld moet worden. Ze verwacht alles van het toenemend verantwoordelijkheidsgevoel van de mens. Bezit beschouwt ze als een door de enkeling souverein beheerd goed van de gemeenschap. De één dient de gemeenschap, doordat hij een bedrijf runt, waarin zo en zoveel werknemers hun levensonderhoud vinden; de ander, doordat hij afstand doet van zijn bezit om medemensen te kunnen helpen. Tussen deze twee extreme vormen van dienen zal ieder een beslissing moeten nemen naar de door zijn levensomstandigheden bepaalde verantwoordelijkheid. Niemand oordele over een ander. Het komt er slechts op

aan, dat ieder zijn bezit beschouwt als iets, waarmee wat zinvols gedaan moet worden. Of dit gebeurt met behoud en vermeerdering of met prijsgave van het bezit, maakt niets uit. Wil de gemeenschap er optimaal van profiteren, dan zal bezit haar op de meest uiteenlopende wijzen ten goede moeten komen.
Nog het meeste gevaar om zuiver egoïstisch met hun bezit om te gaan, lopen degenen, die weinig het hunne kunnen noemen. Er ligt een diepe waarheid in Jezus' gelijkenis, waarin de knecht die het minste ontvangen had het minst getrouw blijkt te zijn.
Ook mijn recht behoort volgens de ethiek van de eerbied voor het leven niet exclusief aan mij toe. Deze ethiek staat mij niet toe er vrede mee te hebben, dat ik als de meer getalenteerde met geoorloofde middelen ten koste van de minder getalenteerde er op vooruitga. Waar de wet en de publieke opinie mij de vrijheid toe geven, maakt zij tot een probleem voor mij. Zij dwingt mij om aan anderen te denken en bepaalt mij bij de vraag of ik mij het innerlijke recht mag toekennen alle vruchten te plukken, die mijn hand maar weet te bereiken. Dan kan het gebeuren, dat ik uit eerbied voor het bestaan van de ander doe, wat volgens de gebruikelijke criteria een volstrekte dwaasheid moet zijn. Ja, misschien steekt de dwaasheid zelfs daarin, dat mijn afzien van eigen profijt de ander niet eens gebaat heeft. En toch handelde ik dan juist. De eerbied voor het leven is de hoogste instantie. Wat zij gebiedt, heeft ook dán zijn betekenis, wanneer het dwaas of tevergeefs schijnt. Wij allen zijn samen op zoek naar die dwaasheid, die ons voorhoudt, dat wij een hogere verantwoordelijkheid najagen. Slechts naarmate wij wat minder bedreven worden in de gebruikelijke rekenkunde, groeit er een ethische attitude onder ons, die raad weet met problemen, die vroeger onoplosbaar waren.

Ook mijn geluk gunt mij de eerbied voor het leven niet. In ogenblikken van onbevangen vreugde roept hij herinneringen in mij op aan ellende, die ik zag of vermoedde, me niet de kans gevend om al datgene wat m'n vreugde verstoort van me af te zetten. Zoals de golf niet op zichzelf kan bestaan, maar voortdurend deelneemt aan de deining van de oceaan, zo moet ook ik mijn leven niet in zichzelf laten opgaan, doch integreren in het grote geheel van leven om mij heen. Het is een huiveringwekkende leer, die de ware ethiek mij toefluistert. Je bent gelukkig, zegt ze. Daarom ben je geroepen veel weg te schenken. Wat je aan gezondheid, talenten, prestatievermogen, succes, prettige jeugd, harmonische huiselijke verhoudingen – méér ontving dan anderen, mag je niet als iets vanzelfsprekends beschouwen. Je moet daarvoor een prijs betalen. Je moet uitblinken in een buitengewone toewijding van leven aan leven.

Voor de gelukkigen wordt het appèl van de ware ethiek zonder meer gevaarlijk, wanneer ze het lef hebben ernaar te luisteren. Ten overstaan van hen dooft dit appèl het irrationele, dat in hen gloeit, allerminst – het bestookt hen juist daarmee om hen van hun stuk te brengen en tot avonturiers van de toewijding te maken (en hoe schaars zijn die in de wereld).

Een onverbiddelijke schuldeiser is de eerbied voor het leven! Vindt ze bij iemand geen ander onderpand dan een beetje tijd en een beetje gelegenheid, dan legt ze daar beslag op. Maar haar hardvochtigheid is positief en observeert scherp. De talrijke moderne mensen, die als werkmachines een beroep uitoefenen, waarin ze zich op geen enkele wijze als mensen aan mensen kunnen wijden, lopen het risico vegeterend en egoïstisch van de ene dag in de andere te leven. Velen van hen hebben oog voor dit gevaar. Zij lijden eronder, dat hun dagelijkse arbeid helemaal geen geestelijk en ideëel perspectief

heeft en hun niet vergunt er iets van hun menselijkheid in te leggen. Anderen berusten daarin. De gedachte buiten hun beroep geen verplichtingen te hebben, vinden ze wel gemakkelijk.
Maar dat mensen veroordeeld of gezegend zouden zijn om geen deel te hebben aan de verantwoordelijkheid je als mens te wijden aan medemensen – daar kan de ethiek van de eerbied voor het leven beslist niet mee akkoord gaan. Zij stelt de eis, dat wij allen hoe dan ook mens zijn voor de mensen. Van degenen, die in hun werksituatie geen gevolg kunnen geven aan deze eis en verder niets hebben om weg te schenken, vraagt zij iets van hun tijd en rust, hoe karig die hun ook zijn toegemeten, op te offeren. Doe er naast je gewone werk nog iets anders bij, zegt ze tegen hen, maak je verdienstelijk met iets onopvallends, misschien met iets dat zich totaal aan het oog onttrekt. Kijk goed om je heen en ga na waar een mens of een project aan mensen gewijd een beetje tijd, een beetje vriendelijkheid, een beetje steun, een beetje gezelligheid of een beetje arbeid behoeven. Wellicht is er een eenzame of een verbitterde of een zieke of één of andere tobber voor wie je iets kunt betekenen. Misschien is het een grijsaard of een kind. Het kan ook zijn, dat een zinvol project vrijwilligers nodig heeft, die een vrije avond opofferen of boodschappen kunnen doen. Wie kan alle investeringen opsommen, die voor het kostbare bedrijfskapitaal dat mens wordt genoemd tot de mogelijkheden behoren! Tot in alle hoeken en gaten van de wereld ontbreekt het aan dít kapitaal. Wees er daarom attent op of zich ergens niet een gelegenheid voordoet om je menselijkheid te investeren. Laat je niet afschrikken, wanneer je wachten of experimenteren moet. Bereid je ook voor op teleurstellingen. Maar laat je de kans niet ontgaan om naast je werk je als mens aan mensen te wijden. Wanneer je dit slechts van harte wilt, wacht er al iemand op je ...

Zo spreekt de ware ethiek met betrekking tot degenen, die alleen maar wat tijd en wat menselijkheid hebben uit te delen. Het ga hun goed, wanneer ze er gehoor aan geven en er voor bewaard blijven vanwege hun gebrek aan toewijding als mensen langzaam te verschrompelen. Allen echter, in welke levensomstandigheden zij zich ook bevinden, worden door de ethiek van de eerbied voor het leven duidelijk verplicht om zich voortdurend innerlijk bezig te houden met alles, wat zich met en rondom de mens en het leven afspeelt en zich als mens aan te bieden aan degene, die een mens nodig heeft. De ethiek van de eerbied voor het leven staat de wetenschapper niet toe uitsluitend voor zijn wetenschap te leven, ook wanneer hij binnen die wetenschap zeer nuttig werk verricht. De kunstenaar staat zij niet toe enkel en alleen voor zijn kunst te leven, hoevelen hij met die kunst ook een dienst bewijst. Wie het erg druk heeft, permitteert ze niet de overtuiging er op na te houden, dat hij met zijn beroepsactiviteiten zijn plicht werkelijk tot het laatste toe heeft vervuld. Van iedereen verlangt ze, dat hij een stuk van zijn leven aan anderen wijdt. Op welke wijze en in welke mate dit voor iemand geldt, moet ieder voor zichzelf uitmaken en hangt af van de omstandigheden waarin hij verkeert. Het offer van de één is voor het oog onopvallend. Hij volbrengt het, terwijl hij daarbij een gewoon leven leidt. De ander wordt tot een meer spectaculaire overgave geroepen en moet daarom zijn eigen belangen buiten spel zetten. Niemand matige zich een oordeel over anderen aan. Op alle mogelijke manieren moeten mensen aan de vervulling van hun bestemming kunnen werken, opdat het goede volop tot ontplooiing kan komen. Wat men als offer te brengen heeft, is het geheim van ieder persoonlijk. Met z'n allen moeten wij er echter goed van overtuigd zijn, dat ons bestaan pas z'n werkelijke waarde krijgt, wanneer we in ons leven ook maar enigszins ervaren hoe waar de woorden wel zijn: 'Wie zijn leven verliest, die zal het vinden'.

De ethische conflicten tussen de samenleving en de enkeling worden veroorzaakt door het feit, dat de enkeling niet alleen persoonlijke, maar ook boven-persoonlijke verantwoordelijkheid draagt. Als het alleen maar m'n eigen persoon betreft, mag ik steeds weer kiezen voor de houding van het geduld, de vergevingsgezindheid, de toegevendheid en de barmhartigheid. Ieder van ons krijgt echter met de situatie te maken, dat hij niet alleen voor zichzelf, maar ook voor een zaak verantwoordelijk is – en hij is dan gedwongen beslissingen te nemen, die tegen het persoonlijk ethisch besef indruisen.
De ambachtsman, die leiding geeft aan een bedrijf (al is het ook nóg zo klein) en de musicus, die uitvoeringen dirigeert, kunnen niet degenen zijn, die ze graag zouden wíllen zijn. De één is genoodzaakt ondanks alle medelijden, dat hij met hem en zijn gezin heeft, een niets presterende of alcoholische werknemer z'n ontslag te geven; de ander is gedwongen een zangeres, die haar beste tijd heeft gehad, niet meer te laten optreden, hoewel hij weet hoeveel verdriet hij haar hiermee doet.
Hoe omvangrijker en gecompliceerder iemands taak is, des te meer zal hij iets van zijn menselijkheid moeten opofferen aan zijn boven-persoonlijke verantwoordelijkheid. De gangbare ethische reflectie wil dit conflict oplossen door te stellen, dat de algemene verantwoordelijkheid de persoonlijke principieel opheft. In deze geest richt de samenleving zich tot de enkeling. En ter geruststelling van het geweten, dat deze oplossing te categorisch vindt, verstrekt ze misschien nog een paar grondregels, die op een algemeen geldende wijze proberen aan te geven, in welke mate het persoonlijk ethisch

besef desnoods mag meewegen.
De officiële ethiek blijft niets anders over dan in deze capitulatie toe te stemmen. Ze bezit niet de instrumenten om de vesting van het persoonlijk ethisch besef te verdedigen, omdat ze niet beschikt over absolute begrippen van goed en kwaad. Met de ethiek van de eerbied voor het leven is het evenwel anders gesteld. Deze bezit, wat de officiële ethiek ontbreekt. Daarom geeft ze de vesting nimmer over, ook wanneer deze geheel is ingesloten. Zij voelt zich in staat haar definitief voor de ondergang te behoeden en de belegeraars door voortdurende uitvallen bezig te houden.
Slechts de meest algemene en absolute doelmatigheid van het behouden en bevorderen van leven – zoals de eerbied voor het leven dat voorschrijft – is ethisch. Alle andere noodzakelijkheid of doelmatigheid is niet ethisch, maar alleen meer of minder noodzakelijke noodzaak of meer of minder doelmatige doelmatigheid. In het conflict tussen het handhaven van mijn eigen bestaan en het vernietigen en aantasten van andermans bestaan kan ik het ethische en het noodzakelijke nooit tot iets relatief ethisch verenigen, maar moet ik beslissen tussen ethisch en noodzakelijk en als ik voor het laatste kies, moet ik accepteren, dat ik door de aantasting van leven een schuld op mij laad. Evenmin moet ik er van uitgaan, dat ik in het conflict tussen persoonlijke en boven-persoonlijke verantwoordelijkheid het ethische en het doelmatige tot iets betrekkelijk ethisch kan transformeren of zelfs dat ik het ethische mag opofferen aan het doelmatige, maar ik zal tussen beide categorieën een keuze moeten maken. Onderwerp ik mij, onder pressie van de boven-persoonlijke verantwoordelijkheid, aan het doelmatige, dan zondig ik op de één of ander manier tegen de eerbied voor het leven.
De verleiding is bijzonder groot, het door de boven-

persoonlijke verantwoordelijkheid geboden doelmatige met het ethische tot iets betrekkelijk ethisch te verenigen, omdat hierbij als argument aangevoerd kan worden, dat degene die gehoorzaamt aan de boven-persoonlijke verantwoordelijkheid volstrekt onzelfzuchtig handelt. Niet aan zijn eigen bestaan of aan zijn eigen welstand offert hij het bestaan of de welstand van een ander op, maar hij offert individueel bestaan en particuliere welstand op aan iets, dat zich met het oog op het bestaan of de welstand van een meerderheid als hoogst doelmatig aandient. Maar ethisch is meer dan onzelfzuchtig! Ethisch is alleen de eerbied van mijn wil tot leven voor elke andere wil tot leven. Waar ik hoe dan ook leven opoffer of benadeel, handel ik niet volgens de ethiek, maar maak ik mij schuldig – hetzij zelfzuchtig schuldig (namelijk wanneer ik mijn eigen bestaan of welstand probeer te handhaven), hetzij onzelfzuchtig schuldig (namelijk wanneer ik het bestaan of de welstand van een hele groep probeer te verdedigen).

De zo voor de hand liggende dwaling om de uit onzelfzuchtige motieven voortkomende aantasting van de eerbied voor het leven voor ethisch te laten doorgaan, is de brug waarover de ethiek onwillekeurig in het gebied van het niet-ethische terechtkomt. Deze brug moet worden afgebroken.

Ethiek reikt slechts zover als de humaniteit reikt: het respect voor het bestaan en het geluk van de individuele medemens. Waar de humaniteit eindigt, begint de pseudo-ethiek. De dag, waarop deze grens eens algemeen erkend en duidelijk gemarkeerd zal worden, zal één van de gewichtigste in de geschiedenis der mensheid zijn. Vanaf dat moment zal het niet meer kunnen gebeuren, dat ethiek, die geen ethiek meer is, voor werkelijke ethiek wordt uitgeven en mensen en volken misleidt en te gronde richt.

Omdat de totnogtoe vigerende ethiek voor ons heeft verdoezeld hoe wij op alle mogelijke manieren, of door zelfhandhaving, of ons voegend naar een boven-persoonlijke verantwoordelijkheid, voortdurend schuld op ons laden, belette ze, dat we de zaak zo serieus namen als we haar behóórden te nemen. De ware kennis bestaat hierin, dat we gegrepen worden door het mysterie, dat alles om ons heen wil tot leven is en inzien, hoe we permanent zondigen tegen het leven.

Verblind door pseudo-ethiek waggelt de mens als een dronkaard rond in zijn schuld. Tot inzicht gekomen, zoekt hij de weg, waarop hij het minst wordt geconfronteerd met schuld.

We komen allen in de verzoeking de schuld van de onmenselijkheid, die een gevolg is van het functioneren in een boven-persoonlijke verantwoordelijkheid, te bagatelliseren door ons zoveel mogelijk in onszelf terug te trekken. Maar op deze manier komen we wel op een listige, maar niet op een eerlijke wijze van onze schuld af. Omdat de ethiek gebaseerd is op een duidelijke wereld- en levensaanvaarding, kan ze ons deze vlucht in de negatie van de wereld niet toestaan. Ze wil niet, dat we doen als de huisvrouw, die het doden van de paling aan het keukenmeisje overlaat. Ja ze dwingt ons alle plichten, die samenhangen met de boven-persoonlijke verantwoordelijkheid waarvoor we gesteld zijn, zonder meer te aanvaarden, ook wanneer we in de gelegenheid waren ze op goede of minder goede gronden af te wijzen.

Ieder van ons zal dus, althans voor zover zijn levensomstandigheden hem er toe leiden, moeten functioneren in het kader van een boven-persoonlijke verantwoordelijkheid. Maar dit hebben we niet te doen met de gesteldheid van een onpersoonlijke collectiviteit, doch met de attitude van iemand, die ethisch wil handelen. In ieder afzonderlijk geval streven wij er derhalve naar om binnen het raam van de boven-persoonlijke verantwoordelijkheid waarin we werken de humaniteit zoveel mogelijk tot haar recht te laten komen. En in twijfelgevallen wagen we het liever te dwalen ten gunste van de humaniteit dan ten gunste van het te bereiken doel. Steeds wijzer geworden, realiseren we ons, wat men gewoonlijk niet beseft: dat voor alle enigszins publieke activiteiten niet alleen datgene meetelt wat in het belang van de gemeenschap verwezenlijkt moet worden, maar ook en niet weinig het scheppen van een mentaliteit, die profijtelijk is voor de gemeenschap. Het scheppen van zo'n mentaliteit is van meer gewicht dan wat er onmiddellijk met arbeidsresultaten wordt bereikt. Openbare arbeid, waarin niet alles op alles wordt gezet om de humaniteit te handhaven, vernietigt die mentaliteit. Wie in boven-persoonlijke verantwoordelijkheid wanneer het hem nodig lijkt heel eenvoudig mensen en mensengeluk opoffert, bereikt zeker iets. Maar aan het allerhoogste resultaat komt hij niet toe. Hij heeft alleen uiterlijke, maar geen geestelijke macht. Geestelijke macht hebben we slechts, wanneer de mensen aan ons merken, dat we niet kil en onbewogen volgens voor eeuwig vastgelegde principes onze beslissingen nemen, maar in elk afzonderlijk geval worstelen om onze humaniteit. Van die worsteling komt het veel te weinig bij ons. Van de meest onaanzienlijke, die in het kleinst denkbare bedrijfje een positie heeft, tot de politieke machthebber toe die beslist over oorlog en vrede, gedragen we ons als mensen, die er zonder moeite in slagen om als het zo uitkomt geen mens meer te zijn, doch alleen maar uitvoerder van algemene belangen. Daarom hebben we het vertrouwen verloren in een door menselijkheid geïnspireerde gerechtigheid. We hebben ook geen werkelijk respect meer voor elkaar. We voelen ons

allen overgeleverd aan een koude, in principes verstarde, onpersoonlijke en gewoonlijk nog onintelligente opportuniteitsgeest, die, om de nietigste belangen te realiseren, bereid is de grootste onmenselijkheid en de grootste dwaasheid te begaan. Daarom staat bij ons onpersoonlijke opportuniteitsmentaliteit tegenover onpersoonlijke opportuniteitsmentaliteit. Alle problemen worden geprojecteerd op het scherm van een ondoelmatige machtsstrijd, omdat er geen mentaliteit heerst, waarin ze tot een oplossing kunnen komen.
Slechts door onze worsteling om de humaniteit zullen er zich in de bestaande mentaliteit krachten ontwikkelen, die gericht zijn op het werkelijk rationele en doelmatige. Daarom moet de mens, die een bovenpersoonlijke verantwoordelijkheid te dragen heeft, zich niet alleen verantwoordelijk voelen voor z'n directe opdracht, maar ook voor het tot standkomen van een goede mentaliteit.
Op deze manier dienen wij de gemeenschap, zonder dat we ons compleet aan haar verliezen. We staan haar niet toe ons in ethisch opzicht te bevoogden. Dat zou op hetzelfde neerkomen als wanneer de solo-violist zich de streken met de strijkstok zou laten dicteren door de contrabassist. Geen moment verliezen we ons wantrouwen ten aanzien van de door de gemeenschap gekoesterde idealen en door haar in roulatie gebrachte opinies. We zijn ons er permanent van bewust, dat ze overloopt van dwaasheid en ons met betrekking tot de humaniteit wil bedriegen. Ze is een onbetrouwbaar paard, dat bovendien nog blind is. Wee de koetsier, wanneer hij insukkelt!
Dit klinkt allemaal te hard. De gemeenschap dient de ethiek, wanneer ze het meest elementaire ervan wettelijk sanctioneert en ethische noties van de ene generatie doorgeeft aan de andere. Aldus betekent ze al heel wat en ze heeft dan ook recht op onze erkentelijkheid. Maar

zij is het ook, die de ethiek steeds weer dwarsboomt, doordat zij zich de waardigheid van de ethische opvoeder aanmatigt. Deze komt haar evenwel niet toe. Ethisch opvoeder is slechts de ethisch denkende en om ethiek worstelende mens. De door de gemeenschap in omloop gebrachte begrippen van goed en kwaad zijn papiergeld, waarvan de waarde niet volgens de erop gedrukte cijfers, maar volgens zijn verhouding tot de goudkoers van de ethiek van de eerbied voor het leven bepaald moet worden. Volgens dít criterium blijkt zijn koers echter gelijk aan die der biljetten van een half failliete staat.
De crisis van de cultuur is veroorzaakt door het feit, dat men de ethiek aan de gemeenschap overliet. Vernieuwing van de cultuur is alleen mogelijk, wanneer de ethiek weer de roeping wordt van de denkende mens en de enkeling zich als ethische persoonlijkheid binnen de gemeenschap tracht te handhaven. Naarmate we deze richting opgaan, ontwikkelt de gemeenschap zich van de zuiver natuurlijke grootheid, die ze van oorsprong is, tot een ethische grootheid.
Vorige generaties hebben de afschuwelijke fout gemaakt de samenleving ethisch te idealiseren. We vervullen onze plicht jegens haar, wanneer we haar kritisch volgen en proberen haar zoveel mogelijk een ethisch karakter te geven. Omdat we in het bezit zijn van een absoluut ethisch criterium, laten we ons geen doelmatigheidsprincipes of zelfs het meest vulgaire opportunisme meer als ethiek voorzetten. Ook bedanken we voor de platvloerse mentaliteit om allerlei onzinnige machts- hartstochts- en nationaliteitsidealen, opgesteld door armzalige politici en door oorverdovende propaganda rondgebazuind, op de één of andere wijze ooit nog voor ethisch uit te geven. Alle zich bij ons aandienende principes, attitudes en idealen meten we in een grandioze

pedanterie met de door de absolute ethiek van de eerbied voor het leven geëikte maat. Alleen wat met de humaniteit overeenstemt, is van kracht voor ons. Het respect voor het leven en het geluk van de enkeling geven wij weer de hoogste prioriteit. We houden de heilige mensenrechten weer hoog – niet de rechten, die de politieke machthebbers aan hun banketten verheerlijken, terwijl ze in de praktijk ze weer met voeten treden, maar de wáre. We roepen weer om gerechtigheid – niet om de gerechtigheid die versufte autoriteiten in de juridische scholastiek hebben uitgebroed, ook niet om de gerechtigheid waarom de meest uiteenlopende demagogen zich hees schreeuwen, maar om de gerechtigheid, die doordrongen is van de waarde van elk mensenleven. Het fundament van het recht is de humaniteit.
Zo brengen we de principes, attitudes en idealen van de gemeenschap in overeenstemming met de humaniteit. Daarmee geven wij ze een vorm, die aan de rede beantwoordt, want alleen het werkelijk ethische is werkelijk redelijk. Slechts voor zover ethische overtuigingen en idealen in de heersende mentaliteit aanwezig zijn, is deze mentaliteit in staat zich op een werkelijk doelmatige manier in daden om te zetten.
De ethiek van de eerbied voor het leven verschaft ons de wapenen tegen pseudo-ethiek en valse idealen. Om deze wapenen krachtig te kunnen gebruiken, zullen we – ieder in z'n leven – tot het uiterste trouw moeten blijven aan de humaniteit. Pas wanneer grote groepen mensen zowel in gedachten als in daden de humaniteit betrekken op de werkelijkheid, zal de humaniteit niet langer uitgemaakt worden voor een sentimenteel ideaal, maar zal ze, zoals het behoort, een zuurdeeg worden, dat de mentaliteit van enkeling en gemeenschap doortrekt.

7. FILOSOFIE EN DIERENBESCHERMING

De dierenbescherming heeft van de Europese filosofie geen enkele reële steun ontvangen. Barmhartigheid ten opzichte van medeschepselen beschouwen de filosofen als een dwaze sentimentaliteit, die niets te maken heeft met redelijke ethiek, of, in het beste geval, kennen ze haar een slechts zeer ondergeschikte betekenis toe. Voor Descartes zijn dieren niet meer dan machines. Aan medelijden hebben ze niet de minste behoefte. De Engelse ethicus Jeremy Bentham (1748-1832) waardeert goedheid tegenover dieren hoofdzakelijk als training in goedheid tegenover mensen. Kant denkt er ook zo over. Nadrukkelijk stelt hij, dat de ethiek zich eigenlijk alleen bezig heeft te houden met de plichten, die de ene mens heeft ten aanzien van de andere mens.
Ook wanneer ze de dierenbescherming een goed hart toedraagt, probeert de Europese filosofie dit fundamentele standpunt te handhaven. Ze kan er niet toe komen de beslissende stap te doen door mededogen ten opzichte van dieren op precies dezelfde wijze als een ethische eis te laten gelden als mededogen ten opzichte van mensen.
In het Chinese en Indische denken speelt de verantwoordelijkheid van de mens voor het geschapene een veel grotere rol dan in het Europese.
Op aangrijpende wijze spreekt de uit de school van Confucius (552-479) afkomstige Chinese filosoof Meng-Tse (372-289) over barmhartigheid jegens dieren. Lieh-Tse, een denker uit de school van Lao-Tse (6e eeuw v. Chr.) spreekt de overtuiging uit, dat dieren innerlijk veel minder van mensen verschillen, dan men

gewoonlijk aanneemt. Yang-Dschu rekent af met het vooroordeel, dat de dieren er alleen maar omwille van de mens zijn en geheel in dienst staan van zíjn doeleinden. Hun existentie heeft een eigen betekenis, een intrinsieke waarde.
Een heel belangrijke plaats krijgt de compassie jegens dieren in het Kan-Ying-Pien (het boek van beloningen en straffen), een Chinese verzameling van 212 ethische spreuken, afkomstig uit de tijd van de Sung-dynastie (960-1227 n. Chr.). De spreuken zelf zijn van veel oudere datum. In deze spreukencollectie, die bij het volk nog steeds veel gezag geniet, komen we de gedachte tegen, dat de 'hemel' (dat wil zeggen: God) aan alle schepselen het leven geeft. Om in harmonie met de 'hemel' te leven, moeten we alle creaturen dus met barmhartigheid bejegenen. Het plezier, dat men aan de jacht beleeft, veroordeelt het Kan-Ying-Pien als minderwaardig. Ook de planten rekent het tot de creaturen en het eist, dat men ze geen nodeloze schade toebrengt. Van deze spreuken-collectie bestaat een uitgave, waarin iedere spreuk over mededogen ten opzichte van dieren in een paar verhalen nader wordt uitgelegd en toegepast. In de nog steeds geldende regels van de Taoïstische monnikenorde wordt barmhartigheid jegens dieren de monniken duidelijk als plicht voorgehouden. Zo moeten ze er bijvoorbeeld voor zorgen, dat ze geen kokend water op de grond laten terechtkomen, omdat daardoor insecten gedood of beschadigd zouden kunnen worden.
Voor het Indische denken is het grondprincipe van de onderlinge verbondenheid van alle levensvormen – menselijke, dierlijke en plantaardige – een volstrekt vanzelfsprekende zaak. Volgens de Brahmanen ligt de oorsprong van alle individuele existenties in de Wereldziel (Brahman). Uiteindelijk monden ze ook weer uit in de Wereldziel. Het principe van de onderlinge verbon-

denheid speelt ook mee in de leer van de reïncarnatie. Beslissend voor de attitude van de mens tegenover z'n medeschepselen is het gebod om niet te doden en geen schade toe te brengen. Gewoonlijk spreekt men over het Ahimsa-gebod. De gedachte van de Ahimsa is waarschijnlijk niet van Brahmaanse herkomst, omdat het in dat geval onverklaarbaar zou zijn waarom de Brahmanen de cultus van het dierenoffer handhaafden. Vermoedelijk is ze ontstaan in het milieu van Jaïnistische monniken. De wortels van deze monnikenorde moeten we ergens in de 8e eeuw v. Chr. zoeken.
De achtergrond van het Ahimsa-gebod is niet – hoe vreemd dat ons ook mag lijken – het actieve medelijden met het geschapene, maar het idee van de ascese ten aanzien van de wereld. Het Ahimsa-gebod ontspringt aan het algemene principe van de gelatenheid, de passiviteit, zoals dat gefundeerd is in de typisch Indische wereld- en levensverachting en zoals monniken dat in hun concrete wereldverzaking in praktijk proberen te brengen. Het Ahimsa-gebod is een ethische interpretatie van dit principe. Toen echter het gebod om niet te doden en geen schade toe te brengen op deze manier het nodige gezag had gekregen, kon het niet uitblijven, dat het vervolgens verstaan en geïnterpreteerd werd vanuit het motief van het medelijden. We zien dit heel duidelijk gebeuren bij Boeddha (ongeveer 480 v. Chr. gestorven). Maar het Indische medelijden met het geschapene is incompleet. Het eist enkel, dat men afziet van het doden en beschadigen van levende wezens, het gebiedt níét dat men ze daarbij ook actief moet beschermen. Deze beperking toont aan, dat de Ahimsa-gedachte niet wortelt in een vitaal medelijden, maar van huis uit een ethische toepassing is van het uit de wereld- en levensverachting resulterende principe van de passiviteit. Natuurlijk worden ook in India de grenzen van de passiviteit door

het medelijden overschreden. Maar voor zover de Indische ethiek in het teken staat van wereld- en levensverachting, is ze onvoldoende gemotiveerd om krachtig op te roepen tot actief medelijden ten opzichte van het geschapene.
Heel vaak wordt de vraag gesteld, waarom barmhartigheid jegens de creaturen niet één van de geboden binnen het Christendom is geworden, vooral omdat de Joodse wet diverse bepalingen bevat, die het dier in bescherming nemen. Het antwoord moet zijn, dat de eerste Christenen in de stellige verwachting van een naderend wereldeinde leefden en er dus ook van uitgingen dat de dag, waarop de ganse schepping uit haar lijden verlost zou worden, zeer spoedig zou aanbreken. Over dat hartstochtelijk verlangen van al het geschapene naar de op handen zijnde verlossing spreekt de apostel Paulus in het 8e hoofdstuk (vers 18-24) van zijn Brief aan de Romeinen. In dit gedeelte geeft hij uitdrukking aan zijn diepe solidariteit met de schepping. Omdat men echter algemeen in de overtuiging leefde, dat er weldra een einde zou komen aan de natuurlijke wereld met al haar lijden en ellende, valt de bescherming van dieren evenzeer buiten zijn horizon als de afschaffing van de slavernij. Dit is de reden, waarom het christelijke gebod van de liefde niet expliciet aandringt op medelijden met de dieren, ook al is het niet moeilijk dit medelijden eruit af te leiden.
Wie onbevangen en onbevooroordeeld nadenkt, móét zich in zijn liefde, behalve tot zijn medemensen, ook tot zijn medeschépselen richten. Wij, die de verlossing van de schepping uit haar lijden niet meer van een naderend wereldeinde verwachten, worden door het diep in ons levende liefde-gebod van Jezus eenvoudig gedwóngen ruim baan te geven aan onze natuurlijke solidariteit met onze medeschepselen en ze zoveel mogelijk bij te staan

en tegen lijden te beschermen.
Zo zijn wij, Europeanen, hoewel de in ons midden geldende filosofische systemen ons beslist niet op dit spoor hebben gebracht, ertoe gekomen ons ernstig te bezinnen op onze positie en onze verantwoordelijkheid ten aanzien van de dieren en hebben we naast het gebod van liefde tot medemensen ruimte gemaakt voor het gebod van liefde jegens dieren.
Graag geven we toe, dat in het Chinese en Indische denken de kwestie mens-dier veel eerder een rol begon te spelen dan bij ons en dat de Chinese en Indische ethiek principieel allerlei plichten en verantwoordelijkheden van de mens tegenover de dieren formuleert. Tegelijk mogen we echter vaststellen, dat onze pogingen om de verantwoordelijkheid van de mens tegenover z'n medeschepselen als een ethische categorie te introduceren, óók hun waarde hebben en nieuwe stimulansen kunnen geven aan de Chinese en Indische ethiek.
Het is immers niet zo, dat de Chinese en Indische ethiek tot een werkelijke oplossing komen van het probleem in welke relatie de mens ten opzichte van het geschapene staat. Wat deze ethieken op dit punt te bieden hebben, is stukwerk en kan ons onmogelijk bevredigen. Het bijzondere van de Chinese ethiek is, dat zij een natuurlijk en actief medelijden met de medeschepselen kent. Maar zij komt er niet toe, de kwestie mens-creatuur werkelijk in haar volle gewicht fundamenteel aan de orde te stellen. Ook is ze er niet in geslaagd het volk echte barmhartigheid jegens de medeschepselen bij te brengen. Al te vroeg kwam er een eind aan de ontwikkeling van het Chinese denken. Het verstarde in scholastiek en herhaalde alleen maar, wat door vroegere denkers al eerder was gezegd inzake de liefde tot de medeschepselen, maar het werkte dit niet verder uit.
De Indische ethiek is in haar opvatting over mens en

creatuur onbevredigend, omdat zij enkel het barmhartige niet-doden en niet-beschadigen eist, en niet tevens het barmhartige helpen en beschermen. De kritieke vraag of de mens het doden en beschadigen ook zou kunnen voorkomen, laat ze buiten beschouwing. Ze geeft de mens de illusie, dat hij werkelijk in staat is zich niet schuldig te maken aan het doden en beschadigen van medeschepselen en dat hij zo inderdaad het Ahimsa-gebod kan vervullen. Zij verzuimt hem zó te onderrichten en op te voeden, dat hij zich de volle last van zijn verantwoordelijkheid jegens zijn medeschepselen realiseert.

De filosofie ziet de ethiek het liefst als een goed sluitend systeem van redelijk uitvoerbare plichten en geboden. Zodra we echter op de één of andere manier uitgaan van het grondprincipe van de liefde, komen we, ook wanneer we dit principe alleen betrekken op mensen, in feite uit bij een ethiek van grenzeloze verantwoordelijkheden en plichten. Liefde laat zich niet reglementeren. Haar eisen zijn absoluut. Ieder van ons moet persoonlijk uitmaken, hoever hij in de practisering van het grenzeloze gebod der liefde wil gaan zónder dat hij daarbij zijn eigen bestaan opgeeft – en in welke mate hij z'n eigen leven en z'n eigen geluk ondergeschikt wil maken aan het leven en het geluk van een ander.

Aan het feit, dat de ethiek door de aanvaarding van het principe van de liefde niet meer valt te reglementeren, kan men zich proberen te onttrekken zolang men de ethiek laat opgaan in de liefde tot mensen. Geeft men echter toe, dat het principe van de liefde op álle creaturen betrekking moet hebben, dan erkent men daarmee dat het terrein van de ethiek grenzeloos is. Men kan nu onmogelijk meer ontkomen aan het inzicht, dat de ethiek krachtens haar wezen grenzeloos is en ons grenzeloze verantwoordelijkheid en grenzeloze plichten oplegt.

Omdat de uitbreiding van het liefdesprincipe tot de medeschepselen een ware revolutie betekent voor de ethiek, weigert de filosofie deze stap te doen. Ze houdt zich liever bij een ethiek, die de mens in duidelijke, redelijke, geen overdreven eisen stellende geboden voorschrijft, hoe hij zich in relatie tot z'n medemensen en tot de gemeenschap heeft te gedragen.
Wie zich serieus inlaat met het probleem van het medelijden met de dieren, weet dat het heel gemakkelijk is dit medelijden zeer in het algemeen te verkondigen, maar dat het buitengewoon moeilijk is practische regels voor allerlei afzonderlijke gevallen te geven. Want dán komt bijvoorbeeld niet alleen de vraag aan de orde, wanneer het leven of het welzijn van een dier opgeofferd mag worden aan de noden en behoeften van de mens, maar zullen we ons ook moeten uitspreken over de vraag, wanneer het leven of het welzijn van het ene schepsel opgeofferd moet worden aan het leven of het welzijn van het andere schepsel. Welke criteria hanteren wij, wanneer we, om een arm, in de steek gelaten vogeltje in leven te houden, insecten vangen om het beestje daarmee te voeren? Wat is ons uitgangspunt bij de beslissing om een massa leventjes op te offeren aan het voortbestaan van dat éne leventje?
Ethiek, die ons de eerbied en de liefde voor alles wat leeft wil bijbrengen, moet ons er tegelijkertijd scherp en onverbiddelijk bij bepalen hoe we telkens weer op allerlei manieren gedwongen zijn leven te vernietigen en te beschadigen, en in welke permanente conflictsituatie we ons bevinden, wanneer we ons niet nonchalant van de problemen afmaken.
Omdat de Europese filosofie intuïtief aanvoelt in welke moeilijkheden de ethiek verzeild raakt, wanneer ze het gebod proclameert van de liefde tot alle levende wezens, probeert ze tot in onze tijd toe vast te houden aan de

stelling, dat het in de ethiek alleen maar draait om de relatie van de mens tot z'n medemensen en tot de menselijke samenleving en dat de liefde tot de schepselen in zekere zin slechts een aanhangsel van de wérkelijke ethiek is. Weliswaar kan het haar niet ontgaan, dat ze hiermee indruist tegen onze natuurlijke gevoelens. Maar dit heeft ze er graag voor over – als ze maar niet hoeft te geloven aan het waagstuk van een ethiek van grenzeloze plichten en grenzeloze verantwoordelijkheden.

Maar haar positie wordt steeds moeilijker, ze verdedigt een achterhaald standpunt. De reflectie kán niet ontsnappen aan de eerbied en de liefde voor alles wat leeft. Onherroepelijk zal ze de oude, zo beperkte ethiek moeten opgeven en tot de aanvaarding moeten komen van de ethiek, die geen grenzen kent. Anderzijds zullen degenen, die de ethiek van de liefde tot alle schepselen huldigen, zich goed moeten realiseren, welke uiterst gecompliceerde problemen er aan hun grenzeloze ethiek vastzitten. En ze zullen de conflicten, waarin deze ethiek de mens brengt, niet mogen verdoezelen, integendeel, geïnteresseerden zullen ze hier indringend op moeten voorbereiden.

De ethiek van de liefde tot alle schepselen tot in details uitwerken: ziehier de grote opgave, waar wij in onze tijd voor staan.

8. HET PROBLEEM VAN DE ETHIEK IN DE ONTWIKKELING VAN HET MENSELIJK DENKEN

Wat we met een uit het Grieks afkomstig woord 'ethiek' en met een aan het Latijn ontleend woord 'moraal' noemen, betreft heel globaal de juiste menselijke attitude. Behalve dat het onszelf goed gaat, moet het ons ook een zorg zijn dat het de ander en de samenleving goed gaat. De eerste vooruitgang in de ontwikkeling van de ethiek wordt geboekt, wanneer de solidariteit met andere mensen een grotere reikwijdte krijgt.
Voor de primitieve mens heeft solidariteit een sterk begrensd karakter. Ze beperkt zich tot zijn bloedverwanten in ruimere zin, dat wil zeggen: tot de leden van zijn stam, met wie hij in één groot familieverband leeft. Ik spreek uit ervaring. In mijn ziekenhuis heb ik zulke primitieven. Wanneer ik één, die zelf niet meer het bed hoeft te houden, opdraag een paar kleinigheden te doen voor een zieke, die z'n bed nog níét uit mag, zal hij alleen in actie komen wanneer die patiënt tot z'n eigen stam behoort. Is dit níét het geval, dan zal hij mij trouwhartig antwoorden: 'Hij is geen broeder van mij'. Noch door een beloning, noch door een dreigement zal hij zich geroepen voelen deze vreemde een dienst te bewijzen. Zodra de mens evenwel tot reflectie komt over zijn relatie met zijn medemensen, wordt hij er zich van bewust, dat de mens als zodanig op één lijn met hem staat en zijn naaste is. Hij merkt, dat de kring van zijn verantwoordelijkheid zich in de loop van een geleidelijk proces steeds meer verruimt, totdat zij alle menselijke individuen omvat met wie hij in aanraking komt.
Door deze meer ontwikkelde ethische instelling lieten

zich leiden: De Chinese denker Lao-Tse, geboren 604 v. Chr., Kung-Tse (Confucius, 551-478 v. Chr.), Meng-Tse (372-289 v. Chr.), Tschuang-Tse (4e eeuw v. Chr.) en de Joodse profeten Amos, Hosea en Jesaja (7e eeuw v. Chr.). Zowel in de verkondiging van Jezus als in die van Paulus is de gedachte, dat de mens verplichtingen heeft tegenover al z'n medemensen, een fundamenteel ethisch uitgangspunt.
Voor de grote Indische denkers, of ze nu tot het Brahmanisme, het Boeddhisme of het Hindoeïsme behoren, hangt de idee van de broederschap van alle mensen samen met de metafysische opvatting aangaande het menselijk zijn. Ze komen echter in moeilijkheden, zodra ze deze ethische conceptie in praktijk moeten brengen. Ze slagen er niet in de barrières af te breken, die in India door het kastenstelsel tussen de mensen zijn ontstaan.
Ook Zarathoestra, die in de 7e eeuw in Baktrië (Oost-Iran) leefde, kan niet de visie huldigen van de daadwerkelijke broederschap van alle mensen, omdat hij het onderscheid moet handhaven tussen degenen, die in Ahura Mazda, de god van het licht en het goede, geloven én degenen die dat niet doen. Hij eist, dat de gelovigen in hun strijd voor Ahura Mazda, deze ongelovigen als vijanden beschouwen en ook als vijanden behandelen. Om deze vijandige houding te verstaan, dient men zich te realiseren, dat de gelovigen behoorden tot de stammen, die zich in Baktrië metterwoon hadden gevestigd om daar als vreedzame boeren hun leven te leiden, terwijl de óngelovigen roofzuchtige nomaden bleven.
Plato, Aristoteles en met hen de andere Griekse filosofen uit de klassieke oudheid onderhouden alleen een relatie met de vrije Griekse mens, die geen weet heeft van de dagelijkse strijd om het bestaan. Wie geen deel uitmaakt van de aristocratie der vrijen, beschouwen ze als

een inferieur menselijk wezen, waarvoor men zich verder niet hoeft te interesseren.
Pas in de tweede periode van het Griekse denken, toen de scholen van de Stoïcijnen en de Epicureeërs naar voren traden, werd door representanten van deze beide richtingen de gelijkheid van alle mensen erkend en ook de interesse, die ieder mens als zodanig verdient. De opmerkelijkste vertegenwoordiger van deze nieuwe visie is de Stoïcijn Panaetius uit de tweede eeuw v. Chr. Hij is de profeet van het humanisme in de Grieks-Romeinse wereld.
De gedachte van de broederschap van alle mensen wordt in de antieke wereld niet populair. Toch is het feit, dat de filosofie de humanitaire instelling als een door de ratio geïnspireerde visie proclameert, van grote betekenis voor de toekomst.
Stellig heeft het besef, dat de mens als zodanig recht heeft op onze interesse niet díé algemene geldigheid gekregen, waarop het aanspraak maakt. Tot in onze tijd toe neemt men er door rassendiscriminatie en door discriminatie omwille van godsdienst en nationaliteit een loopje mee. De afstand, die zo tussen de mensen wordt geschapen, hebben wij nog niet overwonnen.
Wat de verdere ontwikkelingen van de ethiek betreft, moeten we rekening houden met de verschillende typen wereldbeschouwingen, die hun invloed op haar uitoefenen. Er bestaat immers een fundamenteel onderscheid tussen de diverse interpretaties van deze wereld. Sommige wereldbeschouwingen stellen zich positief tegenover de wereld op. Ze weten zin en betekenis te geven aan de dingen van deze wereld en het bestaan in deze wereld. Er zijn echter ook wereldbeschouwingen, die minachtend op de wereld neerkijken. Zij adviseren een onverschillige houding aan te nemen tegenover alles wat met haar te maken heeft. De acceptatie van de wereld

stemt overeen met onze natuurlijke gerichtheid. De wereldaanvaarding spoort ons aan ons in deze wereld thuis te voelen en er activiteiten te ontplooien. De afwijzing van de wereld is onnatuurlijk. Ze stimuleert ons in de wereld, waartoe we toch behoren, als vreemdelingen te leven en iedere activiteit ten opzichte van haar zinloos te achten.
Krachtens haar wezen aanvaardt de ethiek de wereld. Ze wil in positieve zin werkzaam zijn. Zo oefent de aanvaarding van de wereld een gunstige invloed uit op de verdere ontwikkeling van de ethiek, terwijl deze in het klimaat van de wereldverachting maar moeizaam gedijt. In het eerste geval kan de ethiek zich zó geven als ze is, in het tweede geval wordt ze onnatuurlijk.
De wereldverachting werd geleerd door de Indische denkers en door het Christendom van de antieke oudheid en de Middeleeuwen. Voor de aanvaarding van de wereld moeten we zijn bij de Chinese denkers, de profeten van Israël, Zarathoestra en de Europese denkers van de Renaissance en de moderne tijd.
De Indische denkers ontlenen hun negatieve opstelling tegenover de wereld aan hun overtuiging, dat het ware zijn immaterieel, onveranderlijk en eeuwig is, terwijl het wezen van de materiële wereld kunstmatig, bedrieglijk en vergankelijk is. De wereld, zoals we die concreet meemaken, is voor hen slechts een zich in tijd en ruimte manifesterende copie van het immateriële zijn. Naar hun mening houdt de mens zichzelf voor de gek, wanneer hij dit drogbeeld en de rol die hij in de zo bedrieglijke wereld speelt serieus neemt.
De enige houding, die met deze visie overeenstemt, is die van de passiviteit (de gelatenheid). Deze houding kan in zekere zin een ethisch karakter hebben. In z'n onverschilligheid ten opzichte van de dingen van deze wereld is de mens vrij van het egoïsme, dat de materiële

prioriteiten in hem oproepen. Sterker nog: de passiviteit hangt samen met de gedachte van de geweldloosheid. Zij behoedt de mens voor het gevaar door gewelddaden anderen schade toe te brengen.
De Indische denkers van het Brahmanisme, de Samkhya en het Jaïnisme geven, evenals Boeddha, hoog op van de geweldloosheid (die ze 'ahimsa' noemen) en beschouwen deze als een verheven vorm van ethiek. Maar de aldus getoonzette ethiek is onvolledig en ontoereikend. Zij permitteert de mens het egoïsme louter en alleen bedacht te zijn op het eigen heil, dat hij door de beoefening van de met de ware kennis overeenstemmende passiviteit tracht te bereiken. Zijn medelijden heeft geen natuurlijk karakter, maar ontspringt aan zijn metafysische theorieën. Het eist alleen van hem, dat hij zich onthoudt van kwaad, maar spoort hem niet aan zich positief in dienst te stellen van het goede door activiteiten, die door een natuurlijke visie op het goede geïnspireerd zijn.
Alleen de ethiek, die uitgaat van de aanvaarding van de wereld, kan natuurlijk en volledig zijn. Het kan gebeuren, dat Indische denkers zich geroepen voelen een minder beperkte ethiek dan die van de Ahimsa te hanteren. Maar dit lukt ze dan alleen, omdat ze de nodige concessies doen aan de wereldaanvaarding en het grondprincipe van de activiteit. Boeddha, die zich verzet tegen de kilte van het Brahmanisme, weerstaat slechts met moeite de verleiding, de grondstelling van de passiviteit op te geven. Meer dan eens bezwijkt hij ervoor. Herhaaldelijk kan hij niet nalaten naastenliefde te bewijzen en zijn leerlingen die aan te prijzen.
In naam van de ethiek voert de wereldaanvaarding in India een eeuwenlange, verborgen strijd tegen de grondthese van de passiviteit. In het Hindoeïsme – een religieuze beweging contra de overdreven eisen van het

Brahmanisme – kon de activiteit zich een gelijkwaardige plaats naast de passiviteit veroveren. In het grote leerdicht 'Bhagavad-Gîtâ', een onderdeel van het omvangrijke Indische epos Mahâbhârata, wordt het samengaan van activiteit en passiviteit verkondigd en vastgelegd. In de Bhagavad-Gîtâ geldt de wereldbeschouwing van het Brahmanisme. Volgens deze wereldbeschouwing is de materiële wereld slechts een schijnbare realiteit, die geen aanspraak kan maken op onze interesse. In feite is de wereld niets meer dan een schouwspel, dat God voor zichzelf in scène zet. Het meest natuurlijke is, dat de mens zich als een toeschouwer tegenover dit schouwspel opstelt.
De Bhagavad-Gîtâ staat de mens echter ook toe als medespeler in dit schouwspel op te treden en er een actieve verhouding mee aan te gaan. Deze activiteit is hem gegund, wanneer hij er de juiste voorstelling van heeft.
Is het alleen maar zijn bedoeling in het schouwspel, dat God voor zichzelf heeft georganiseerd, een actieve rol te spelen, dan is hij op de goede weg. Hij handelt dan volgens hetzelfde besef, waarin een ander louter toeschouwer blijft. Zowel hij als die ander hebben deel aan hetzelfde weten. Wanneer hij echter in een naïeve oppervlakkigheid kiest voor de activiteit, de wereld voor reëel aanziet en in die wereld iets tot stand wil brengen, bevindt hij zich op een dwaalspoor. Wat hij doet is pure dwaasheid. Met deze theorie van de Bhagavad-Gîtâ kan de ethiek niets beginnen. Zíj is er immers op uit de situatie in de wereld te verbeteren. Het enige wat de Bhagavad-Gîtâ voor de actieve ethiek betekent, is dat ze haar een schijnbestaan mogelijk maakt binnen de conceptie van de wereldverzaking.

Het Christendom van de antieke oudheid en de Middel-

eeuwen huldigt de wereldverzaking zonder daarmee echter tot een absolute passiviteit te raken. Dit komt, omdat de christelijke negatie van de wereld een ander karakter heeft dan die van de Indische denkers. Ze gaat níét uit van de veronderstelling, dat de wereld, waarin we leven, een drogbeeld is. Zij beschouwt haar als een onvolkomen wereld, die de volmaaktheid zal bereiken, wanneer de tijd aanbreekt van het Rijk Gods. Het zijn de profeten van Israël geweest, die de gedachte van het komen van een bovennatuurlijk Godsrijk in het leven hebben geroepen. We treffen deze gedachte ook aan in de religie van Zarathoestra.
Evenals Johannes de Doper proclameert Jezus dat de wereld van het materiële weldra zal overgaan in de wereld van het Rijk Gods. Hij spoort de mensen aan uit alle macht te streven naar de volmaaktheid, die nodig is om aan de nieuwe existentie in een nieuwe wereld te kunnen deelnemen. Hij dringt er bij hen op aan de dingen van deze wereld prijs te geven om zich, door niets gebonden, helemaal aan het ideaal van het goede te kunnen wijden. Volgens Jezus' ethiek mag de activiteit zich op alles werpen wat ze als goed en noodzakelijk beschouwt. Op dit punt verschilt zij met de leer van Boeddha. Weliswaar heeft ze de gedachte van het medelijden met Boeddha gemeen, maar aan de praktisering van het medelijden zijn bij Boeddha duidelijk grenzen gesteld. De ethiek van Jezus echter eist een ónbegrensde uitoefening van de barmhartigheid.
De eerste Christenen, onder wie ook Paulus, verwachtten dus, dat het Rijk Gods op zeer korte termijn in de plaats van de natuurlijke wereld zou komen. Hun hoop ging niet in vervulling. In de antieke oudheid en ook gedurende de Middeleeuwen moesten de Christenen in een natuurlijke wereld leven zónder hun inspiratie te kunnen ontlenen aan de hoop op de spoedige entree van

de bovennatuurlijke wereld.
Het Christendom kwam niet zover, dat het zich volledig uitsprak voor de aanvaarding van de wereld, hoewel zijn actieve ethiek hier alle ruimte voor bood. In de antieke oudheid en in de Middeleeuwen ontbrak er echter de bezielde wereldaanvaarding, waarop het Christendom zou kunnen inhaken. Zo bleef de christelijke reflectie volledig geconcentreerd op het hiernamaals.
Pas in de Renaissance ontwikkelde zich een vitale wereldaanvaarding. In de loop van de nieuwe tijd sloot het Christendom zich hierbij aan. Naast het door Jezus gestelde ideaal van de zelfvervolmaking, kende de ethiek van het Christendom nu ook dat ándere ideaal: het wist zich geroepen nieuwe en betere, zowel materiële als geestelijke voorwaarden te scheppen voor het menselijk bestaan in de wereld. Omdat de ethiek van het Christendom haar activiteit nu op een concreet doel kan toespitsen, bloeit zij zienderogen op.
De verbinding van het Christendom en de op een ideaal gerichte wereldaanvaarding bracht de cultuur voort, waarin wij thans leven. Het is onze taak deze cultuur te behouden en te vervolmaken.
De ethische concepties van de Chinese denkers en ook van Zarathoestra hadden oorspronkelijk een wereldaanvaardend karakter. Ook zij beschikten over voldoende élan en inspiratie om een ethische wereldbeschouwing te creëren.
In een bepaald stadium van haar ontwikkeling steekt de ethiek meer naar de diepte af. Deze tendens komt tot uitdrukking in haar behoefte de fundamentele essentie van het goede te formuleren. Ze stelt zich er niet meer tevreden mee de verschillende deugden en plichten te definiëren, op te tellen en aan te prijzen, maar ze wil datgene, wat we met elkaar gemeen hebben en waar we ons samen voor inspannen, tot het laatste toe doorgron-

den. Voor de grote Chinese denkers betekende dit tenslotte, dat zij de welwillendheid, de sympathie jegens de medemens als de hoofddeugd roemden.
In de Joodse ethiek duikt reeds vóór Jezus de vraag op naar het hoogste gebod – het gebod, waarmee men aan de eisen van de ganse wet kan beantwoorden. Conform de traditie van de Joodse schriftgeleerden verheft Jezus de liefde tot het allerhoogste gebod: het gebod, dat een samenvatting is van alle andere geboden.
Evenzo komen in de eerste twee eeuwen van onze jaartelling de denkers uit de scholen van de Stoïcijnen en de Epicureeërs, in het spoor van Panaetus, de schepper van het humaniteitsideaal, tot het inzicht, dat de naastenliefde het toppunt aller deugden is. We kunnen denken aan Seneca (± 4 v. Chr.tot 65 n. Chr.), Epictetus (50-138) en keizer Marcus Aurelius (121-180). Hun ethiek vertoont grote overeenkomsten met de concepties van de Chinese en christelijke denkers. Het bijzondere van hun visie steekt in de overtuiging, dat het denken, wanneer het doorstoot naar diepere lagen, uitkomt bij het ideaal van de humaniteit.
In de loop van de eerste en tweede eeuw na Christus groeiden de Grieks-Romeinse filosofie en het Christendom naar hetzelfde ethische ideaal toe. Het zou daarom niet vreemd zijn geweest, wanneer men zich in deze beide bewegingen had gerealiseerd wat men gemeenschappelijk had met elkaar. Dit is echter niet gebeurd. Men kwam niet nader tot elkaar.
De omstandigheden, nodig voor een wederzijdse confrontatie en herkenning, ontbraken eenvoudig. De hoogontwikkelde Grieks-Romeinse filosofie beleefde slechts een korte bloeiperiode. Zij was de zaak van een kleine bovenlaag – de intellectuelen. Het volk stond erbuiten.
Bovendien koesterden beide bewegingen diepgaande

vooroordelen jegens elkaar. Voor de Grieks-Romeinse filosofie was het Christendom met z'n hoop op een bovennatuurlijke wereld, waar een in Jeruzalem gekruisigde Jood de scepter over zou zwaaien, stupide en ergerlijk bijgeloof. Het christelijke denken beschouwde de Grieks-Romeinse filosofie als iets, dat annex was met het heidendom en dus – voor zover men er al notitie van nam – als iets, dat had afgedaan.
Maar eeuwen later gebeurde het toch nog, dat beide in contact kwamen met elkaar. Toen het Christendom zich in de 16e en 17e eeuw begon in te laten met de wereldaanvaarding, die de Renaissance het Europese denken meegegeven had, nam het ook kennis van de diepe ethiek, waartoe de Stoïcijnen en Epicureeërs gedurende de eerste en tweede eeuw na Christus gekomen waren. Tot z'n verrassing moest men constateren, dat Jezus' liefde-gebod in die tijd als rationeel verkondigde waarheid had geklonken. In verband hiermee raakten de christelijke denkers, die deze ontdekking deden, ervan overtuigd, dat de grondmotieven van de ethiek door de religie geopenbaarde en door het denken geaffirmeerde waarheden zijn.
Tot de meest eminente denkers, die zich zowel met het Christendom als met het (laat-) Stoïcisme verbonden wisten, behoren de Rotterdammer Erasmus (1465 - 1536) en Hugo Grotius (1583 - 1645). Bekend is, dat ze werkten aan een ethisch recht, dat voor alle volken van kracht was – zowel in een tijd van vrede als in een tijd van oorlog.
Enthousiast zetten de christelijke en filosofische ethiek zich samen schrap om de nodige activiteiten te ontplooien. In de 18e eeuw beginnen ze zich eendrachtig met de wereld bezig te houden. Hun engagement brengt hen ertoe zich fel te verzetten tegen een verder dulden en toedekken van schreeuwend onrecht, wreedheid en

heilloos bijgeloof. De pijnbank werd afgeschaft. Er werd een eind gemaakt aan de ellende van de heksenprocessen. Onmenselijke wetten werden vervangen door andere, meer humane wetten. Gefascineerd door de ontdekking, dat het gebod der liefde ook eén rationele eis is, startte en volvoerde men een in de geschiedenis der mensheid unieke reformatie.
Om het rationele en logische van de naastenliefde te onderstrepen, opereerde Jeremy Bentham (1748-1832) en andere denkers met het argument van haar nuttigheid.
Volgens de door hen verdedigde theorie is de naastenliefde enkel een kwestie van welbegrepen eigenbelang. Zij tonen aan, dat het welzijn zowel van het individu als van de gemeenschap alleen gegarandeerd kan worden door de bereidheid díé toewijding op te brengen, die zo onmisbaar is voor het goed functioneren van de onderlinge menselijke relaties.
Deze wat oppervlakkige visie op de essentie van het ethische wordt o.a. door Immanuël Kant (1724-1804) en de Schotse filosoof David Hume (1711-1776) afgewezen. Kant, die de ethiek in haar eigen waarde volstrekt gerespecteerd wil zien, poneert dat haar nuttigheid buiten beschouwing dient te blijven. Zijn leer van de categorische imperatief maakt het de ethiek mogelijk absolute eisen te stellen. Naar zijn eigen zeggen informeert ons geweten ons over wat goed en verkeerd is. Alleen ons geweten hebben wij te gehoorzamen. De diep in ons aanwezige morele wet brengt ons het vaste besef bij, dat we niet alleen deel uitmaken van de wereld, zoals die zich in de dimensies van tijd en ruimte aan ons presenteert – maar dat we ook burgers van een geestelijke wereld zijn.
Hume beroept zich voor zijn afwijzing van het utilitaristisch karakter van de ethiek op de ervaring. Hij ana-

lyseert de impulsen van de ethiek en komt tot de conclusie, dat ethiek primair een kwestie is van sympathie, van medegevoel. De natuur, zo redeneert hij, heeft ons in staat gesteld met andermans wel en wee mee te leven. Daarmee verplicht ze ons de vreugde, de zorgen en het lijden van anderen als onze eigen vreugde, onze eigen zorgen en ons eigen lijden te beleven. Volgens een door Hume gebruikt beeld zijn wij snaren, die in onderlinge verbondenheid harmonieus met elkaar meetrillen. De natuurlijke genegenheid inspireert ons naast de ander te staan en zowel aan zijn welzijn als aan het welzijn van de gemeenschap bij te dragen.
Wanneer we even afzien van Friedrich Nietzsche (1844-1900), heeft de filosofie er sinds Hume niet meer serieus aan durven twijfelen, dat ethiek in eerste instantie een zaak van sympathie, van meevoelen en een daarmee overstemmend helpend handelen is.
Maar wat betekent deze natuurlijke en diepe ethiek nu in de praktijk? Ze is niet in staat de verplichtingen tot engagement ten opzichte van anderen zó te formuleren en af te grenzen, dat de natuurlijke zorg voor ons eigen welzijn én de natuurlijke zorg voor het welzijn van anderen met elkaar in balans komen.
Op dit probleem, dat zich voordoet bij de praktische uitwerking van zijn ethiek, gaat Hume niet verder in. Ook andere filosofen uit zijn tijd voelen zich, evenals latere filosofen, niet geroepen zich serieus met deze kwestie bezig te houden. Ze vermoeden kennelijk complicaties en laten de zaak daarom maar verder rusten. Inderdaad zijn de problemen rond deze elementaire en vitale ethiek van díé aard, dat men er niet uitkomt. Het is onmogelijk deze ethiek via duidelijk omschreven geboden en verboden hoe dan ook in kaart te brengen. Iedereen moet zelf maar beslissen hoever hij in zijn toewijding en hulpvaardigheid wenst te gaan. Deze ethiek inspi-

reert ons niet tot een engagement, dat in onze ogen té vérstrekkend zou zijn en waar we zelf ook veel nadeel van zouden kunnen ondervinden. Zij laat ons geweten niet tot rust komen. Het goede geweten wordt een mythe voor ons.
Wie zich laat leiden door de ethiek van de overgave en toewijding, staat bij de vele conflicten, die hij meemaakt, telkens weer voor een zware beslissing. Mensen, die aan het hoofd staan van een bedrijf, zullen zichzelf maar zelden kunnen feliciteren met het feit uit medelijden díégene een baan gegeven te hebben, die er het meest om zat te springen en níét aan de man, die er nu net zo geschikt voor was. Wee degene echter, die op grond van dergelijke ervaringen meent, dat hij daarom het medelijden bij zijn overwegingen een niet al te grote rol moet laten spelen!
Reflecterend over het probleem van de toewijding, gaan we ook inzien, dat we in onze ethische activiteit veel breder moeten uithalen dan tot nog toe het geval was. We ontdekken, dat de ethiek niet alleen met mensen, maar ook met schepselen te maken heeft. Deze schepselen hebben met ons gemeen, dat ook zij smachten naar welzijn, kunnen lijden, en huiveren voor de dood. Wie nog beschikt over het vermogen om werkelijk mee te voelen en solidair te zijn, vindt de behoefte om begaan te zijn met het wel en wee van alle levende wezens een volstrekt natuurlijke zaak. De reflectie moet wel tot de erkenning komen, dat barmhartigheid ten opzichte van het geschapene een natuurlijke eis is van de ethiek. Dat de ethiek aarzelt deze eis te stellen, heeft z'n redenen. Goed beschouwd levert onze bemoeienis met alle creaturen, die op onze weg komen, nóg meer en nog gecompliceerder conflicten op dan onze enkel op mensen gerichte bemoeienis al met zich meebrengt. Het nieuwe en tragische is, dat wij met betrekking tot de

dieren steeds vaker in een situatie komen, dat we moeten beslissen tussen: doden of in leven laten. Niet alle dieren, die in een kudde worden geboren, kan de boer in leven laten en groot brengen. Hij zal slechts zóveel dieren in leven houden als hij van voedsel kan voorzien en waarvan het fokken financieel aantrekkelijk is. In veel gevallen zijn wij ook genoodzaakt levende wezens te doden om andere, die door hen bedreigd worden, te redden.

Wie zich ontfermt over een uit het nest gevallen vogel, zal – om deze vogel te kunnen voeren – kleine levende wezens moeten doden. Wat hij zo doet, berust op volstrekte willekeur. Met welk recht offert hij vele levens op aan dat ene? Met dezelfde willekeur gaat hij te werk, wanneer hij dieren, die hem onsympathiek zijn, doodt om andere tegen hen te beschermen.

Ieder van ons heeft dus te maken met het feit, dat hij erover moet beslissen of hij op grond van een onontkoombare noodzaak levende wezens laat lijden of doodt en zodoende een schuld op zich laadt. Door alles op alles te zetten om in nood verkerende dieren te helpen, kunnen we onze schuld enigszins verlichten en iets verzoenends tot stand brengen. We zouden al een heel stuk verder zijn, wanneer we ons bekommerden om het welzijn van de dieren en af probeerden te komen van alle ellende, die we ze uit pure nonchalance en onverschilligheid bezorgen. We zullen krachtig strijd moeten voeren tegen de anti-humane tradities en de onmenselijke vooroordelen en reacties, die in onze tijd nog steeds aanwezig zijn.

Als voorbeelden van onmenselijke tradities en gewoontes, die onze beschaving en ons gevoel toch niet langer zouden moeten tolereren, kunnen de stierengevechten in de arena en de drijfjachten worden genoemd.

De ethiek, die zich niet tevens bezighoudt met onze houding tegenover het geschapene, is incompleet. De strijd tegen de onmenselijkheid hebben we op alle fronten en permanent te voeren. Het zal zover moeten komen, dat doden als sport of spel als een culturele schande wordt ervaren.

Een grote verandering in de ethische situatie is óók, dat de ethiek zich vandaag moet realiseren, dat ze zich niet zomaar meer kan beroepen op een met haar intenties overeenstemmende wereldbeschouwing. Vroeger kon ze ervan overtuigd zijn, dat ze opriep tot een attitude, die overeenkwam met het inzicht omtrent de ware natuur van de in de schepping geopenbaarde universele wil tot leven. Niet alleen de hogere religies, maar ook de rationalistische filosofie van de 17e en 18e eeuw gingen hiervan uit.

In feite is de wereldbeschouwing, waarop de ethiek zich pleegt te beroepen, het resultaat van een door haarzelf gegeven optimistische interpretatie van de wereld. De ethiek schrijft de universele wil tot leven eigenschappen en intenties toe, die accorderen met haar eigen manier van beleven en oordelen.

In de loop van de 19e en 20e eeuw moet de reflectie, die geheel bepaald wordt door het zoeken naar waarheid, constateren, dat de ethiek niets van een waarachtige kennis omtrent de wereld heeft te verwachten. De wetenschap krijgt een steeds dieper inzicht in de wetten van de natuur. De door haar veroverde kennis stelt ons in staat de in het universum aanwezige energie aan menselijke belangen dienstbaar te maken. Maar tegelijkertijd noodzaakt de wetenschap ons steeds meer af te zien van de hoop, ooit nog eens de zin van het gebeuren te kunnen doorgronden.

In hoeverre laat de inzet voor het welzijn van anderen zich in een wereldbeschouwing funderen? Steeds weer heeft de ethiek pogingen in deze richting ondernomen. Maar ze is er nimmer in geslaagd. Wanneer ze meende het gepresteerd te hebben, bleek dat het haar alleen gelukt was, omdat ze eerst de hiervoor vereiste optimistische wereldbeschouwing had geconstrueerd. De op waarheid stoelende reflectie moet erkennen, dat er geen geest van barmhartigheid en goedheid in het wereldgebeuren werkzaam is. De wereld biedt ons het troosteloze schouwspel van manifestaties van de wil tot leven, die steeds weer met elkaar conflicteren. De ene existentie handhaaft zich door bestrijding en vernietiging van de andere. De wereld – ze is het gruwelijke in het heerlijke, het zinloze in het zinvolle, het smartelijke in het vreugdevolle.
De ethiek gooit het niet op een akkoordje met dit wereldgebeuren, maar komt ertegen in opstand. Ze is de expressie van een geest, een mentaliteit, die anders wil zijn dan de geest, de mentaliteit die zich in de wereld laat gelden.
Wanneer we het wereldgebeuren in z'n ware wezen proberen te begrijpen om daaruit dan conclusies te trekken voor onze ethische opstelling, dan zijn we zonder meer uitgeleverd aan het scepticisme en het pessimisme. De ethiek ontspringt aan onze eigen, onafhankelijke reflectie. In haar beginfase was de ethiek genoodzaakt een mooi op haar aansluitende wereldbeschouwing te creëren. Ze ontwierp de theorie, dat het wereldgebeuren (hoe het er ook mee gesteld was) beheerst werd door een geest, die via het onvolkomene tenslotte het volkomene zou realiseren – en dat onze ethische activiteit in de huidige wereld door de hoop op dat einddoel haar zin en betekenis had.
Is de ethiek echter tot het inzicht gekomen, dat ze het

appèl inhoudt tot overgave aan andere manifestaties van de wil tot leven (en de steeds fundamenteler denkende mens beleeft dit appèl zonder dat hij er zich van kan losmaken), dán is ze volstrekt autonoom geworden. Vanaf dit moment kan het ons niets meer schelen, dat we slechts over een zeer beperkte en totaal onbevredigende kennis aangaande de wereld beschikken. We weten thans hoe we ons in overeenstemming met ons diepste innerlijk in de wereld hebben te gedragen. Ons oriënterend aan deze wetenschap gaan we onze levensweg.

Het elementaire principe, dat ons ieder ogenblik van ons bestaan weer scherp voor de geest staat, is: Ik ben leven, dat leven wil, te midden van leven, dat leven wil. Het mysterieuze van mijn wil tot leven is, dat ik mij gedrongen voel mij vol medeleven op te stellen tegenover alle wil tot leven, die zich naast mijn wil tot leven manifesteert. De essentie van het goede is: leven behouden, leven bevorderen, leven tot z'n hoogste bestemming brengen. De essentie van het kwade is: leven vernietigen, leven beschadigen, leven in zijn ontwikkeling remmen.

Het grondprincipe van de ethiek is dus de eerbied voor het leven. Met alle weldaden, die ik een levend wezen bewijs, help ik het ten diepste zijn bestaan in deze wereld te handhaven en te ontplooien.

In grote lijnen gebiedt de eerbied voor het leven hetzelfde als de ethische grondstelling van de liefde. Alleen bevat de eerbied voor het leven de fundering van het gebod der liefde en eist ze barmhartigheid ten opzichte van al het geschapene.

Ook moet opgemerkt worden, dat de ethiek van de liefde ons alleen voorschrijft hoe we ons tegenover ánderen, en níét hoe we ons ook tegenover onszelf hebben te gedragen. De eis van de waarachtigheid, toch een grondelement van de ethische persoonlijkheid, laat zich niet uit deze ethiek afleiden. Eigenlijk is het de eerbied voor het leven, waarmee we ons eigen bestaan tegemoettreden, die ons inspireert immer trouw aan onszelf te blijven – zodat we afzien van iedere veinzerij waartoe we in de één of ander situatie onze toevlucht zouden kunnen nemen en niet versagen in de strijd, volstrekt waarachtig te blijven.

Alleen de ethiek van de eerbied voor het leven is volledig. Zij is dat in ieder opzicht. De ethiek, die zich beperkt tot de houding van de mens tegenover zijn medemens, kan zeer diep en vitaal zijn. Ze blijft echter incompleet. Daarom kon het niet uitblijven, dat de reflectie zich op een goed moment begon te stoten aan de als legitiem beschouwde harteloze behandelingen van niet-menselijke levende wezens en van de ethiek ging verlangen, dat zij zich ook over hén zou ontfermen. Slechts aarzelend kwam de ethiek zover, dat ze ernst maakte met deze zaak. Pas de laatste tijd vindt er een heroriëntatie plaats en krijgt de kwestie in de wereld enige aandacht.

Her en der begint al het inzicht door te breken, dat de ethiek van de eerbied voor het leven, die barmhartigheid ten opzichte van alle levende wezens gebiedt, in overeenstemming is met de natuurlijke behoefte tot meeleven en solidariteit van de denkende mens.

Door ons ethisch op te stellen ten aanzien van al het geschapene, komen we in een geestelijke verhouding te staan tot het universum.

In de wereld om ons heen is de wil tot leven in conflict met zichzelf. In ons wil hij in vrede met zichzelf verkeren.

In de wereld manifesteert hij zich, in ons openbaart hij zich.

De Geest houdt ons voor anders te zijn dan de wereld. Door de eerbied voor het leven worden wij vroom – worden we vroom op een heel elementaire, diepe en levende wijze.

9. HET PROBLEEM VAN DE VREDE IN DE WERELD VAN VANDAAG

Rede, uitgesproken bij het in ontvangst nemen van de Nobelprijs te Oslo in 1954

Als thema van de voordracht, die ik als ontvanger van de Nobelprijs voor de vrede verplicht ben te houden, heb ik het probleem van de vrede gekozen, zoals dat zich op dit moment aan ons presenteert. Ik meen hiermee geheel in de lijn te blijven van de voortreffelijke stichter van deze prijs, die zich diepgaand bezighield met het vredesprobleem zoals dat in zijn tijd speelde en die van zijn stichting verwachtte, dat zij de bezinning op de zaak van de vrede blijvend zou stimuleren.
Ik wil mijn voordracht graag beginnen met een analyse van de situatie, die onder invloed van de twee achter ons liggende Wereldoorlogen is ontstaan.

De politici, die tijdens de onderhandelingen die op de beide oorlogen volgden, de grondslagen legden voor de wereld van vandaag, gingen bepaald kortzichtig te werk. Het was niet hun bedoeling een toestand te scheppen, die de mogelijkheid van een enigszins duurzame toekomst in zich zou dragen, maar ze waren er vóór alles op uit de consequenties van de overwinning te consolideren. En ook wanneer ze wat verder reikende intenties gehad zouden hebben, zouden ze die toch niet hebben kunnen laten prevaleren. Het was nu eenmaal hun taak uitvoering te geven aan de wil van de overwinnende volken. Discussies over een zinvolle en doelmatige inrichting van de toekomst konden ze zich niet permitteren. Al hun tijd en energie haden ze nodig om de eisen van de zegevierende volken binnen de perken van het

redelijke te houden. Ook moesten ze de overwinnende partijen tot wederzijdse concessies zien over te halen, wanneer hun oogmerken en belangen met elkaar in conflict kwamen.
Dat de situatie niet alleen voor de overwonnenen, maar ook voor de overwinnaars thans zo onhoudbaar begint te worden, komt omdat men niet genoeg rekening hield met de historische werkelijkheid en zich onvoldoende afvroeg, wat nu rechtvaardig en doelmatig was.
Het historische probleem van Europa hangt samen met het feit, dat in vroegere eeuwen, vooral sinds de zogenaamde volksverhuizing, allerlei volken uit het Oosten steeds meer oprukten naar het Westen en het Zuidwesten en met wisselend succes daar gebied veroverden. De volken, die zich al veel eerder in Europa hadden gevestigd, komen in contact met deze uit het Oosten binnendringende volken, leven ermee samen en in de loop der eeuwen vindt er een gedeeltelijke samensmelting plaats. Er tekenen zich nu nieuwe, min of meer homogene, geïntegreerde naties af. Door deze ontwikkeling breekt voor West- en Midden-Europa een over het algemeen definitieve toestand aan. Dit proces vindt in de 19e eeuw z'n afsluiting.
In het Oosten en Zuidoosten is deze ontwikkeling niet zo ver gegaan. Hier bleef het er bij, dat volken met elkaar samenleefden zonder zich met elkaar te vermengen. In zo'n situatie kan ieder volk een zeker recht laten gelden op het gebied, waar het woont. Het ene volk kan als argument aanvoeren dat het het oudste en talrijkste is. Het andere volk kan wijzen op de positieve bijdragen, die het heeft geleverd aan de ontwikkeling van het land. De enige praktische oplossing zou zijn geweest, dat beide partijen ertoe waren overgegaan, na met elkaar tot een wederzijds acceptabele schikking te zijn gekomen, in één en hetzelfde gebied volgens een gemeenschappe-

lijke staatsvorm met elkaar te leven. Eén en ander zou dan wel kort na het midden van de 19e eeuw gerealiseerd moeten zijn. Want vanaf die tijd komt het nationaal zelfbewustzijn steeds sterker tot ontwikkeling – met alle gevolgen van dien. Wáár de volken zich thans ook door laten leiden, niet door historische feiten en door redelijk inzicht.
De Eerste Wereldoorlog werd duidelijk veroorzaakt door de constellatie in Oost- en Zuidoost Europa. De nieuwe toestand, die zich na de beide Wereldoorlogen aandiende, is bepaald explosief en bevat alle condities voor een volgende oorlog.
Voorwaarden voor nieuwe oorlogen blijven altijd aanwezig, wanneer men bij het orde op zaken stellen na een oorlog geen rekening houdt met de historische werkelijkheid. Alleen wanneer men zich bij het zoeken naar zakelijk verantwoorde en rechtvaardige oplossingen dáárdoor laat bepalen, is er de garantie van een stabiele, duurzame situatie.
De historische werkelijkheid negeert men, wanneer men het recht op een gebied van slechts één volk erkent, terwijl historisch gezien er nóg een volk aanspraak op kan maken. De rechtsgronden, die allerlei volken in omstreden gebieden van Europa voor het bezit van land in het geding kunnen brengen, zijn steeds relatief. Al die volken hebben er zich in oude tijden immers als immigranten gevestigd.
De historische werkelijkheid verwaarloost men óók, wanneer men zich bij het vaststellen van de grenzen van nieuwe naties niets aantrekt van de economische situatie. Dit gebeurt bijvoorbeeld, wanneer men een grens zódanig trekt, dat een havenstad beroofd wordt van haar natuurlijke achterland; of wanneer men een scheidslijn aanbrengt tussen een gebied, dat bepaalde grondstoffen produceert en een gebied, dat zich helemaal heeft gespe-

cialiseerd op het verwerken van die grondstoffen. Door zo'n strategie krijg je naties, die economisch gezien direct al weinig kans maken.
Maar wel héél grof lapt men het recht van de historische werkelijkheid, ja het recht van de mens zelf aan z'n laars, wanneer men bepaalde volken het recht op het land, dat zij bewonen, in díé zin ontzegt, dat zij gedwongen zijn zich elders te vestigen. Dat de zegevierende partijen aan het einde van de Tweede Wereldoorlog honderdduizenden mensen híértoe veroordeelden (en nog wel op de meest gruwelijke wijze), geeft duidelijk aan, hoe weinig zij zich geroepen voelden aan een gezonde en rechtvaardige samenleving te werken.
Buitengewoon typerend voor de omstandigheden, waarin we sinds de Tweede Wereldoorlog verkeren, is het feit, dat die oorlog niet gevolgd werd door het sluiten van een vrede. Over en weer besloot men tot een wapenstilstand en op díé manier kwam er een eind aan de oorlog. Omdat we niet bij machte zijn ook maar enigszins bevredigend orde op zaken te stellen, moeten we genoegen nemen met allerlei incidentele afspraken om de wapenen neer te leggen – afspraken, waarvan niemand weet wat ze uiteindelijk voorstellen en opleveren.

Dit is de toestand, waarin we ons bevinden. Hoe presenteert zich thans het probleem van de vrede?
Er is in zoverre iets nieuws aan de hand, dat de oorlog waarmee wij vandaag te maken hebben een ander karakter heeft dan vorige oorlogen. De capaciteit om te doden en te vernietigen is enorm toegenomen; het kwaad, dat de moderne oorlog aanricht, is niet te vergelijken met het onheil, dat vroegere oorlogen teweegbrachten.
Voorheen konden oorlogen nog beschouwd worden als

een noodzakelijk kwaad, dat hoe dan ook in dienst stond van de vooruitgang of misschien daar zelfs onontbeerlijk voor was en dáárom ondernomen moest worden. Je kon de mening verkondigen, dat oorlogen de meer ontwikkelde volken in staat stelden zich tegenover de minder ontwikkelde volken te handhaven en zo de loop van de geschiedenis te bepalen.

Zo kon bijvoorbeeld dank zij de overwinning van Cyrus op de Babyloniërs in het Nabije Oosten een wereldrijk met een superieure cultuur ontstaan, terwijl de overwinning van Alexander de Grote op de Perzen alle landen vanaf de Nijl tot de Indus ontsloot voor de Griekse cultuur. Omgekeerd kon het echter ook gebeuren, dat als gevolg van een oorlog een hogere cultuur verdrongen werd door een minder hogere. Dit vond plaats, toen de Arabieren in de loop van de 7e en in het begin van de 8e eeuw Perzië, Klein-Azië, Palestina, Noord-Afrika en Spanje veroverden – gebieden, waar tot die tijd de Grieks-Romeinse cultuur geheerst had.

Het is met de oorlog dus zo, dat hij de vooruitgang zowel positief als negatief kan beïnvloeden.

Maar wat de modérne oorlog betreft, kunnen we nog nauwelijks volhouden, dat hij een eventueel gunstig effect op de vooruitgang zou kunnen hebben. Het kwaad, dat deze oorlog met zich meebrengt, heeft ongekende dimensies.

Het is opmerkelijk, dat men rond de eeuwwisseling de explosieve groei van het wapenarsenaal als een positieve zaak wist te waarderen. Men ging er vanuit, dat er zo veel sneller dan vroeger militaire beslissingen afgedwongen konden worden en dat men in de toekomst dus met slechts zeer korte oorlogen te maken zou hebben. Men zag dit als een volstrekt logische consequentie.

Het leed, dat een toekomstige oorlog zou veroorzaken, meende men in die tijd óók nog te kunnen relativeren, omdat men ervan overtuigd was, dat de oorlogsvoering een steeds humaner karakter zou krijgen. Men wees hierbij op de verplichtingen, die de verschillende volken dank zij de activiteiten van het Rode Kruis volgens de Geneefse Conventie van 1864 op zich hadden genomen. Zij garandeerden elkaar de verzorging en verpleging van gewonden en de humane behandeling van krijgsgevangenen. Men sprak ook af de burgerbevolking zoveel mogelijk te ontzien. Hiermee was een zeer belangrijke stap gezet, waarvan honderdduizenden in latere oorlogen zouden profiteren. Maar ten aanzien van het grenzeloze onheil, dat de moderne oorlogsmiddelen om te doden en te vernietigen vandaag kunnen aanrichten, was het ook weer zo bitter weinig, dat van een echte humanisering van de oorlogsvoering eigenlijk geen sprake kon zijn.

Op grond van de overtuiging, dat een komende oorlog slechts van korte duur zou zijn en vast vertrouwend op een voortschrijdende humanisering van de oorlog, tilde men aan de in 1914 uitbrekende oorlog veel mínder zwaar dan in feite het geval had moeten zijn. Men beschouwde deze oorlog als een onweer, dat de politieke lucht wat zuiverde en men hoopte, dat hij een einde zou maken aan de bewapeningswedloop, waarmee de volken zich gigantische schulden op de hals hadden gehaald.

Terwijl sommigen luchthartig en overmoedig beweerden, dat deze oorlog legitiem was omdat-ie alleen maar voordeel zou opleveren, waren er ook veel geloofwaardiger en serieuzer figuren, die ernstig beklemtoonden, dat deze oorlog absoluut de laatste oorlog moest en ook zou zijn. In de vaste veronderstelling de goede strijd voor een tijd zonder oorlogen te strijden, zijn talloze dappere soldaten destijds de oorlog ingetrokken.

Tijdens de in 1914 en de daarna, in 1939 uitbrekende

oorlog bleken beide theorieën echter volstrekt onjuist te zijn. In deze twee oorlogen werd jaren achtereen op de meest inhumane wijze gestreden en vernietigd. Tot overmaat van ramp waren het geen twee aparte volken (zoals in de oorlog van 1870), maar twee gróépen volken, die tegenover elkaar stonden – een omstandigheid waardoor het leed dat deze beide oorlogen veroorzaakten een werkelijk katastrofale omvang kreeg. Nog nimmer vielen er zoveel slachtoffers.

We zijn het er allemaal over eens, dat een oorlog in deze tijd een afgrijselijke aangelegenheid is en daarom moeten we alles op alles zetten om hem te voorkomen. Vooral ethische motieven zullen ons hierbij moeten inspireren. In de beide laatste oorlogen hebben we ons schuldig gemaakt aan de gruwelijkste vormen van onmenselijkheid en in een komende oorlog zullen we op dezelfde manier te werk gaan. We móéten daarom een nieuwe oorlog verhinderen, het kan gewoon niet.
Laten we de situatie nuchter onder ogen zien. De mens is erin geslaagd een Übermensch te worden. Dit komt tot uitdrukking in het feit, dat hij dank zij z'n wetenschappelijke en technische prestaties niet alleen beschikt over de fysieke krachten van z'n eigen lichaam, maar ook gebruik kan maken van allerlei in de natuur aanwezige krachten. Toen hij nog gewoon mens, en geen Übermensch was, kon hij bij het doden op afstand alleen maar z'n eigen lichaamskracht aanwenden: met behulp van z'n spierkracht spande hij de boog en schoot hij een pijl naar z'n tegenstander. Als Übermensch beschikt hij echter over de energie, die bij een snelle verbranding van een bepaald mengsel van chemische stoffen vrij komt en met een speciaal daarvoor geconstrueerd apparaat benut hij vervolgens die energie. Dit geeft hem de mogelijkheid met uiterst effectieve projectielen te werken waarmee hij

op een veel grotere afstand dan vroeger z'n tegenstanders kan bereiken.
De Übermensch lijdt evenwel aan een noodlottige geestelijke handicap. Hij mist het bovenmenselijke inzicht, waar het bezit van zijn bovenmenselijke macht mee gepaard zou moeten gaan. Dit inzicht zou ervoor kunnen zorgen, dat hij zijn verworven macht alleen zou aanwenden om het zinvolle en goede te realiseren – en niet om te doden en te vernietigen. Omdat het zo noodzakelijke inzicht hem ontbreekt, zijn z'n wetenschappelijke en technische verworvenheden de mens meer tot vloek dan tot zegen geworden.
Het is kenmerkend, dat hij in z'n eerste grote uitvinding, de toepassing van de bij snelle verbranding vrijkomende explosiekracht, voorlopig alleen maar een middel zag om op afstand te doden.
De door de verbrandingsmotor mogelijk gemaakte verovering van het luchtruim betekende een enorme stap vooruit. Meteen benutte men dit succes om nu vanuit de lucht te doden en te vernietigen. Wat men aanvankelijk maar niet wilde inzien, is zo toch wel volstrekt duidelijk, namelijk dat de Übermensch mét het steeds maar groter worden van zijn macht een steeds armzaliger figuur slaat. Om niet weerloos uitgeleverd te zijn aan de bedreiging vanuit de lucht, moet hij zich als een dier in de aarde verstoppen. Tegelijkertijd moet hij erin berusten, dat er een onvoorstelbare vernietiging van waarden plaats zal vinden.
Een nieuwe fase brak aan, toen men de gigantische krachten ontdekte en leerde toepassen, die bij atoomsplitsing vrijkomen. Na verloop van tijd bleek echter, dat het vernietigend vermogen van een perfect ontwikkelde bom iedere voorstelling te boven zou gaan en dat reeds wat omvangrijkere proeven ermee zúlke katastrofen zouden kunnen ontketenen, dat de mens-

heid zelf daardoor ernstig in haar bestaan bedreigd werd. De atoombom confronteert ons pas goed met de huiveringwekkende risico's, waaraan we ons leven bloot stellen en onvermijdelijk rijst de vraag naar welke toekomst wij als mensheid op weg zijn.
Wat we ons vóór alles moeten realiseren en wat we al veel eerder hadden moeten inzien, is dat wij als Übermenschen ónmensen zijn geworden. Wíj hebben het op ons geweten, dat in de voorbije oorlogen massa's mensen – in de Tweede Wereldoorlog 20 miljoen – vernietigd werden; dat atoombommen complete steden verwoestten; dat mensen door brandbommen veranderden in laaiende fakkels –. Via de radio-uitzendingen en krantenberichten namen we hiervan kennis en het enige wat we ons daarbij afvroegen was, of één en ander als een succes beschouwd moest worden voor de groep volken, waar wij toe behoorden of voor onze vijanden. Wanneer we onszelf het onmenselijk karakter van dit alles voorhielden, troostten we onszelf met de gedachte, dat we door de gegeven oorlogssituatie gewoon veroordeeld waren dit allemaal te laten gebeuren. Maar door je zonder meer neer te leggen bij de gegeven omstandigheden en door zomaar te berusten in zo'n gruwelijk lot, maak je je schuldig aan pure onmenselijkheid.
Het is hoog tijd, dat we met elkaar inzien, dat we ons samen aan onmenselijkheid schuldig maken. Deze verschrikkelijke gemeenschappelijke ontdekking zal ons zó moeten wakker schudden, dat we ons met alle hoop en wilskracht die we bezitten richten op een tijd, waarin oorlogen niet meer voorkomen. Door een nieuwe geest zullen we zo tot dát hogere redelijke inzicht moeten komen, dat ons afhoudt van het heilloze misbruik van de ons ten dienste staande machtsmiddelen.
De eerste, die het aandurfde zuiver ethische argumenten tegen het oorlogsbedrijf aan te voeren en in dat verband

pleitte voor een redelijk inzicht, dat zich door ethische criteria liet leiden, was de grote Rotterdamse humanist Erasmus (1469-1539). Hij deed dit in zijn in 1517 gepubliceeerde geschrift 'Querela Pacis' ('Vredesklacht'). In dit werk personifieert hij de vrede, ze krijgt een stem en smeekt om aandacht.

Erasmus oogstte niet veel bijval. Men beschouwde het als een utopie, dat men de zaak van de vrede werkelijk zou dienen door haar voor te stellen als een ethische noodwendigheid. Zelfs Immanuël Kant (1724-1804) was deze mening toegedaan. In zijn in 1795 verschenen geschrift 'Zum ewigen Frieden' en ook in andere publicaties, waarin hij het probleem van vrede ter sprake brengt, verwacht hij voor de realisering van de vrede alleen maar iets van een verdere ontwikkeling van het volkenrecht: bij conflicten tussen volken moet een internationale scheidsrechterlijke instantie volgens dít recht een beslissend oordeel uitspreken. Z'n autoriteit zal dit volkenrecht alleen moeten ontlenen aan het groeiend respect, dat men in de loop van de tijd uit louter practische overwegingen voor het recht als zodanig zal opbrengen. Steeds weer beklemtoont Kant, dat men voor het idee van een Volkenbond geen ethische argumenten moet aandragen, maar dat men deze moet zien als het resultaat van een zich perfectionerend recht. Hij meent, dat de perfectionering van het rechtssysteem automatisch, in de loop van een natuurlijk proces van ontwikkeling en vooruitgang, tot stand zal komen. Volgens zijn opvatting zal de natuur, die grote kunstenares, de mensen door de gang van de geschiedenis en door de concrete ellende van de oorlogen heel geleidelijk (het zal lang, zeer lang duren) zóver brengen, dat ze elkaar vinden in een volkenrecht, dat een duurzame vrede garandeert.

De gedachte van een Volkenbond met scheidsrechterlijke bevoegdheden komen we in een enigszins herken-

bare vorm voor het eerst tegen in de memoires van Sully (1560-1641), vriend en minister van koning Hendrik IV van Frankrijk. Zeer uitvoerig komt de zaak in de 18e eeuw aan de orde in drie geschriften van Abbé Castel de Saint-Pierre (1658-1743). Het meest bekende werk hiervan draagt als titel 'Projet de Paix perpétuelle entre les souverains Chrétiens'. Kant was op de hoogte van de ideeën van Saint-Pierre. Waarschijnlijk nam hij er kennis van via een in 1761 gepubliceerd werk van Jean Jacques Rousseau, die er een samenvatting van geeft.
Vandaag zijn we in de positie om op grond van ervaring ons een oordeel te vormen over de Volkenbond in Genève en de Organisatie van de Verenigde Naties (UNO). Instellingen als deze kunnen van grote waarde zijn door bijvoorbeeld in conflictsituaties bemiddelend op te treden, naties te stimuleren om snel te beslissen en gezamenlijke acties te ondernemen en door nog allerlei andere uiterst zinvolle diensten te verlenen verrichten die inspelen op de actuele omstandigheden. Eén van de belangrijkste dingen, die de Geneefse Volkenbond heeft gedaan, was de invoering, in 1922, van een internationaal geldig paspoort voor personen, die door de oorlog hun nationaliteit hadden verloren. In welke moeilijkheden zouden deze mensen zijn geraakt, wanneer de Geneefse Volkenbond op initiatief van Fridtjof Nansen niet deze pas had ingevoerd! En wat zou er na de Tweede Wereldoorlog van al die vluchtelingen en ontheemden terechtgekomen zijn, wanneer er geen Verenigde Naties waren geweest, die zich hun lot konden aantrekken!
Maar nóch de Volkenbond, nóch de Verenigde Naties hebben ons ook maar een stap dichter bij de vrede gebracht. Alles wat ze in het belang van de vrede ondernamen was tevergeefs, omdat ze moesten opereren in de wereld, die ethisch gezien absoluut niet openstond voor de realisering van een duurzame vrede. Als juridische

instituten waren zij niet in staat het ethische klimaat in de wereld te veranderen. Alleen de ethisch gerichte geest kan de voor de vrede zo onmisbare ethische mentaliteit scheppen. Kant vergiste zich, toen hij stelde dat we voor het tot stand brengen van de vrede wel buiten de ethische inspiratie konden. Het is duidelijk, dat de weg, die hij niet wilde inslaan, toch begaan moet worden.
Bovendien hebben we allerminst de zeer, zeer lange tijd tot onze beschikking, die hij voor de realisering van de vrede toch wel nodig meent te hebben. De moderne oorlogen hebben een totaal ander karakter dan de oorlogen waar híj vanuitging – het zijn vernietigingsoorlogen. Op dít moment moeten we de beslissende stappen op de weg van de vrede zetten. Maar alleen een ethische mentaliteit kan ons hiertoe brengen.
Doch kan een ethische gezindheid – kan de geest werkelijk tot stand brengen, waar wij hem in onze nood toe in staat achten?
Men moet de kracht van de geest niet onderschatten. Hoe actief is hij werkzaam in de geschiedenis der mensheid! Het is de geest, die inspireert tot de humaniteit, die ten grondslag ligt aan de culturele ontwikkeling van de mensheid. In onze overgave aan de humaniteit zijn we trouw aan onszelf. Een humane instelling maakt het ons mogelijk creatief te zijn. Wie de humaniteit verwerpt, is ontrouw aan zichzelf en raakt het spoor volstrekt bijster.
Welke enorme invloed de geest kan uitoefenen, is wel duidelijk geworden in de loop van de 17e en 18e eeuw. Híj was het, die de volken van Europa bevrijdde uit de kluisters van de Middeleeuwen door af te rekenen met het bijgeloof, de heksenprocessen, de pijnbank en tal van andere traditionele gruwelijkheden en absurditeiten. De geest heeft een totaal nieuwe ontwikkeling op gang gebracht en wie deze op de voet volgt, valt van de ene

verbazing in de ander. Wat we ooit bezeten hebben aan ware, innerlijke cultuur en wat we nog steeds daarvan bezitten, we hebben het te danken aan de inspiratie van déze geest.
De laatste tijd heeft de geest echter aan kracht ingeboet, voornamelijk omdat hij ethisch geen aansluiting kon vinden bij het wereldbeeld, dat uit het natuurwetenschappelijk onderzoek te voorschijn kwam en steeds meer ging domineren. Een ándere geest had zijn plaats ingenomen – een geest, die zich om de ethische ontplooiing van de mensheid niet bekommerde en slechts zeer platvloerse idealen koesterde. Willen we niet te gronde gaan, dan zal de geest die het veld moest ruimen weer de leiding moeten overnemen. Wéér moet hij een wonder tot stand brengen, net als in de tijd toen hij de Europese volken bevrijdde uit het duister van de Middeleeuwen – ja een nog groter wonder dan toen zal hij moeten verrichten.
De geest is niet dood. Hij leeft in het verborgene. Dat hij het moet stellen zonder een wereldbeschouwing, die beantwoordt aan z'n ethische intenties en die wetenschappelijk gefundeerd kan worden, is hij te boven gekomen. Het is hem duidelijk geworden, dat het enige waar hij zich op kan verlaten het diepste wezen van de mens is. Zijn onafhankelijkheid ten opzichte van enige wereldbeschouwing ervaart hij als een winst.
Verder is hij tot het inzicht gekomen, dat het medeleven, waaraan de ethiek ontspringt, pas z'n werkelijke diepgang en reikwijdte heeft, wanneer het zich uitstrekt tot álle levende wezens. Naast de totnogtoe vigerende ethiek, die het zo duidelijk ontbreekt aan de ware diepte en ruimte en daarom ook weinig overtuigingskracht bezit, presenteert zich de eerbied voor het leven en vindt alom erkenning. Weer hebben wij de moed ons tot de totale mens te richten, dat wil zeggen: de rationeel den-

kende en emotioneel voelende mens en hem aan te sporen tot de nodige zelfkennis te komen en zichzelf trouw te zijn. Weer willen wij onze hoop stellen op datgene, wat z'n ware wezen uitmaakt. Op grond van ervaringen weten we hoeveel we op deze manier kunnen bereiken. In 1950 verscheen een boek, getiteld 'Dokumente der Menschlichkeit', samengesteld door een aantal hoogleraren van de Göttinger Universiteit, die in 1945 de massale verdrijving van Duitsers uit bepaalde Oosteuropese landen hadden meegemaakt. Heel eenvoudig en direct laten ze in dit boek allerlei vluchtelingen vertellen, hoeveel goeds ze in hun ellende hebben ondervonden van mensen, die tot de hun vijandig gezinde volken behoorden en hen daarom zonder een spoor van mededogen hadden moeten behandelen. Zelden heeft een boek mij zo aangegrepen. Wie z'n geloof in de mensheid heeft verloren, kan uit dit boek weer nieuwe hoop putten.

Of het tot een duurzame vrede zal komen, hangt af van de richting, waarin de mentaliteit van de individuen en daarmee ook van de volken zich verder ontwikkelt. In onze tijd is dit nóg meer van kracht dan voorheen. Erasmus, Sully, Abbé Castel de Saint Pierre en nog enkele anderen, die zich met het probleem van de vrede bezighielden, gingen niet uit van de volken, maar van de vórsten der volken. Zich helemaal concentrerend op deze vorsten, probeerden zij hen te bewegen een supranationale instantie met scheidsrechterlijke bevoegdheden in het leven te roepen, die handelend zou moeten optreden bij beginnende conflicten. In zijn boek 'Zum ewigen Frieden' houdt Kant als eerste rekening met een tijd, waarin de volken zichzelf regeren en dus zelf te maken krijgen met de vraag hoe de vrede gehandhaafd moet worden. Hij beschouwt dit als een stap vooruit. Naar zijn idee zullen zij meer gemotiveerd zijn om de

vrede te bewaren dan de vorsten, omdat zíj het zijn, die de gruwelen van de oorlog aan den lijve zullen ondervinden.
Inmiddels is de tijd gekomen, waarin regeerders hebben te functioneren als voltrekkers van de volkswil. Maar Kants theorie over de natuurlijke vredeswil van het volk is niet uitgekomen. Als de wil van een grote massa is de volkswil niet ontkomen aan het gevaar van onstandvastigheid en aan het risico om, meegesleurd door hartstochten, het gezonde verstand het zwijgen op te leggen en van de meest elementaire verantwoordelijkheden af te zien. De twee laatste oorlogen maakten we een nationalisme van het ergste soort mee en vandaag kunnen we het nationalisme beschouwen als de grootste hinderpaal op de weg van een beginnende toenadering tussen de volken.
We worden dit nationalisme alleen de baas, wanneer we samen kiezen voor de gezindheid van de humaniteit. Het zal zo moeten zijn, dat we van hoog tot laag volkomen spontaan de verheven idealen van de menselijkheid verdedigen.
Uiterst kwalijk nationalisme treffen we ook elders in de wereld aan, in het bijzonder bij volken, die vroeger, in de koloniale periode, onder blanke voogdij leefden en pas sinds kort onafhankelijk werden. Dergelijke volken verheffen heel gemakkelijk hun naïeve nationalisme tot hun enige, allerhoogste ideaal. In tal van gebieden is op deze manier de vrede, die er steeds heerste, ernstig in gevaar gebracht.
Ook deze volken kunnen hun nationalisme alleen door de gezindheid van de humaniteit overwinnen. Maar hoe moet die kentering tot stand komen? Wanneer de geest in óns vaardig wordt en ons ván de veruiterlijkte cultuur weer terugvoert naar de met de humaniteit gegeven innerlijke cultuur, zal hij via ons ook op hen zijn invloed

uitoefenen. Alle mensen, ook de primitieve en half geciviliceerde, dragen als meelevende en meevoelende wezens het vermogen in zich om aan de gezindheid van de humaniteit gestalte te geven. Dit vermogen is latent bij hen aanwezig – als brandstof die ontvlamt, zodra ze met een vonk in aanraking komt.
Bij een aantal volken, die op een bepaald moment een zeker cultureel niveau bereikt hadden, heeft zich het idee gevormd, dat er eenmaal een rijk van vrede zal aanbreken. In Palestina komen wij de gedachte van een vredesrijk voor het eerst tegen bij de profeet Amos, in de 8e eeuw v. Chr., terwijl deze notie dan later in de joodse en christelijke godsdienst voortleeft als de hoop op het komend Rijk van God.
Het idee van het vredesrijk speelt ook in de leer van de grote denkers van het oude China: Lao-Tse en Kung-Tse (beiden 6e eeuw v. Chr.), Mi-Tse (5e eeuw v. Chr.), en Meng-Tse (4e eeuw v. Chr.). We vinden de gedachte bij Tolstoi (1828-1910) en andere Europese denkers. Men heeft haar voor een utopie gehouden. Maar vandaag staan de zaken er zó voor, dat de gedachte van het vredesrijk hoe dan ook gerealiseerd moet worden, wil de mensheid tenminste niet reddeloos ten onder gaan.

Ik ben me er van bewust, dat ik in mijn uiteenzetting over het probleem van de vrede totnogtoe niet veel nieuws heb gezegd. Ik ben de overtuiging toegedaan, dat wij het vredesprobleem alleen dán zullen kunnen oplossen, wanneer wij de oorlog op ethische gronden verwerpen – eenvoudig omdat wij ons met oorlogsvoering schuldig maken aan onmenselijkheid. Maar reeds Erasmus van Rotterdam en nog enkele anderen na hem hebben hier nadrukkelijk op gewezen.
Het enige, waar ik dan zelf speciaal de klemtoon op leg, is dat bij mij het inzicht van Erasmus gepaard gaat met de

uit het logisch denken verkregen zekerheid, dat de geest in onze tijd bij machte is een nieuwe, ethische mentaliteit te scheppen. Vanuit deze zekerheid breng ik mijn overtuiging, in de hoop dat zij door mijn toedoen niet als een mooi klinkende, maar in de praktijk niet te realiseren waarheid van de hand wordt gewezen. Hoe vaak is het niet gebeurd, dat een bepaalde waarheid pas na lange tijd haar geldigheid kon bewijzen (en soms kreeg ze die kans zelfs helemaal niet) – alleen omdat men geen rekening wilde houden met de mogelijkheid, dat ze inderdaad wel 's realiteit zou kunnen worden.
Alleen wanneer de volken onder invloed van de geest vervuld worden van een ware vredesmentaliteit, kunnen de instellingen, die in het leven werden geroepen om de vrede te bewaren, dátgene tot stand brengen wat van ze verwacht en gehoopt wordt.

Nog steeds leven we in een tijd van onvrede, conflicten en oorlogen. Nog steeds moet het éne volk het andere volk als een bedreiging ervaren. Nog steeds kan geen enkel volk het recht ontzegd worden zich uit zelfverdediging met de meest afgrijselijke vernietigingswapenen schrap te zetten.
Meer dan ooit zien we thans uit naar een eerste werking van de geest, aan wie wij ons moeten toevertrouwen. Dit eerste teken kan nergens anders in bestaan dan dat de volken alle ellende die ze elkaar in de laatste Wereldoorlog hebben aangedaan zoveel mogelijk proberen te herstellen en goed te maken. Vele duizenden gevangenen en gedeporteerden wachten op het moment, dat ze eindelijk naar huis kunnen terugkeren; talloze anderen, die ten onrechte door een vreemde mogendheid veroordeeld werden, snakken naar het ogenblik dat ze worden vrijgesproken – om nu verder maar te zwijgen van de ontelbare onrechtvaardigheden die allerlei enkelingen

moesten ondergaan en ten opzichte waarvan nog zo eindeloos veel recht te zetten en goed te maken is.
Uit naam van al diegenen, die zich zo vurig inspannen voor de vrede, smeek ik de volken de eerste stap op die nieuwe weg te zetten. Geen enkel volk verzwakt daardoor zijn positie, geen enkel volk verliest daardoor iets van de macht, die het nodig acht voor z'n zelfverdediging.
Wanneer er zo een begin gemaakt wordt met het herstel van de schade, die de laatste Wereldoorlog achtergelaten heeft, dan kan er een sfeer van vertrouwen tussen de volken ontstaan. Bij alles wat we terwille van de vrede ondernemen is vertrouwen het onmisbare bedrijfskapitaal. Ontbreekt het vertrouwen, dan komt er niets zinvols tot stand. Op alle terreinen des levens is vertrouwen dé grote voorwaarde voor een positieve, heilzame ontwikkeling.
In de aldus geschapen sfeer van wederzijds vertrouwen kan men dan heel zakelijk de problemen proberen op te lossen, die de beide Wereldoorlogen veroorzaakt hebben.
Ik geloof, dat ik met deze woorden uitdrukking heb gegeven aan de hoop en verwachting van al die miljoenen mensen, die hier in Europa in een voortdurende angst voor een komende oorlog leven. Mogen mijn woorden ook hen bereiken, die aan de overzijde van het graf in dezelfde angst leven als wij en mogen ze dan door hen in hun ware bedoeling begrepen en verstaan worden.
Mogen zij, in wier handen het lot der volken ligt, er op bedacht zijn alles te vermijden, wat de toestand waarin we ons bevinden nóg kritieker en nóg riskanter zou maken. Mogen zij het onvergetelijke woord van de apostel Paulus ter harte nemen: 'Houdt zo mogelijk, voor zover het van u afhangt, vrede met alle mensen'. Dit woord geldt niet alleen voor individuen maar ook

voor volken. Mogen zij in hun pogingen om de vrede te bewaren samen tot de uiterste grens van het mogelijke gaan, opdat de geest tijd genoeg zal hebben om z'n krachten te mobiliseren en gaandeweg aan invloed te winnen!

10. EPILOOG

Twee ervaringen werpen een schaduw op mijn leven. De ene heeft te maken met het besef, dat de wereld onverklaarbaar geheimzinnig is en vol leed; de andere betreft het feit, dat ik geboren ben in een tijd van geestelijk verval der mensheid. Het denken, dat mij tot de ethische wereld- en levensaanvaarding van eerbied voor het leven bracht, heeft mij over deze beide ervaringen heengeholpen. Door dit denken kreeg mijn leven houvast en richting.

Thans sta ik en werk ik in de wereld als iemand, die de mensen door denken innerlijk wil verbeteren. Ik ga zo lijnrecht in tegen de geest van de tijd, omdat deze een diepe minachting koestert voor het denken. Dat de geest van de tijd zich zo negatief opstelt, is tot op zekere hoogte te begrijpen, omdat het denken het ideaal, waarop het zich dient te richten, totnogtoe niet bereikt heeft. Regelmatig was het ervan overtuigd, op heldere wijze een wetenschappelijk verantwoorde en ethisch bevredigende wereldbeschouwing gefundeerd te hebben. Later bleek echter telkens weer, dat het daarin niet geslaagd was.

Zo kon men eraan gaan twijfelen, of het denken ooit in staat zou zijn onze vragen met betrekking tot de wereld en onze relatie met haar zó te beantwoorden, dat wij ons leven zin en inhoud zouden kunnen geven.

Behalve geminacht, wordt het denken vandaag ook nog gewantrouwd. De georganiseerde politieke, sociale en religieuze instituten zijn er op uit de enkeling zó ver te krijgen, dat hij zijn overtuigingen niet meer ontleent aan eigen reflectie, maar zich díé opinies eigen maakt, die zij reeds voor hem geformuleerd hebben. Iemand die zelfstandig nadenkt en daardoor geestelijk vrij is, vinden zij lastig en griezelig. Hij biedt niet voldoende garantie, dat hij op vereiste manier opgaat in de organisatie. Alle corporaties en instituten zoeken vandaag hun kracht niet zozeer in de geestelijke kwaliteit der ideeën, die ze vertegenwoordigen en in de geestelijke waarde van de mensen, die tot hen behoren, alswel in het bereiken van een zo groot mogelijke uniformiteit en geslotenheid. Daarin menen zij de vitaalste kracht tot verzet en aanval te bezitten.

Daarom rouwt de tijdgeest er allerminst om, dat het denken niet tegen z'n taak opgewassen blijkt te zijn – integendeel, het doet hem deugd. Hij houdt geen rekening met wat het denken bij alle onvolkomenheden reeds tot stand heeft gebracht. Ook gaat hij eraan voorbij, dat alle geestelijke vooruitgang tot op de dag van vandaag door de prestaties van het denken gerealiseerd zijn. Tenslotte wil hij niet in aanmerking nemen, dat het in de toekomst nog kan volbrengen waar het tot dusver niet in slaagde. Met zulke overwegingen laat de tijdgeest zich niet in. Het is er hem alleen maar om begonnen het individuele denken hoe dan ook in discrediet te brengen. Hij opereert ermee volgens de spreuk: 'Wie niet heeft, van hem zal genomen worden ook wat hij heeft'.

Z'n leven lang wordt de huidige mens dus bestookt met invloeden, die hem van het vertrouwen in eigen denken willen beroven. De geest van de geestelijke onzelfstandigheid, waaraan hij maar heeft te geloven, domineert in alles wat hij hoort en leest; hij wordt ermee geconfronteerd in de mensen met wie hij regelmatig verkeert, in de partijen en verenigingen die beslag op hem hebben gelegd en in de relaties waarin hij leeft. Van alle kanten en op talloze manieren probeert men hem in te prenten, dat hij de waarheden en overtuigingen, die hij voor zijn leven nodig heeft, moet overnemen van de instituten die recht op hem hebben. De tijdgeest staat hem niet toe tot zichzelf te komen. Zoals een onderneming, die geld genoeg heeft om zich in de straten van de grote steden met vlammende lichtreclames op te dringen, bij ieder stap die hij doet pressie op hem uitoefent om toch maar haar schoensmeer of soeptabletten te kopen – zo dringt men hem ook stap voor stap allerlei overtuigingen op.

De geest van de tijd probeert de hedendaagse mens dus sceptisch te stemmen ten opzichte van het eigen denken, opdat hij open komt te staan voor autoritaire, van bovenaf opgelegde waarheden. Deze permanente beïnvloeding kan hij niet het nodige tegenspel bieden, omdat hij een overspannen, oppervlakkig, verward wezen is. Bovendien werkt de veelvoudige materiële onvrijheid, die zijn deel is, zo negatief in op zijn mentaliteit, dat hij tenslotte meent het recht op eigen gedachten niet meer te kunnen handhaven.

Zijn geestelijk zelfvertrouwen heeft ook ernstig te lijden onder de druk, die de gigantische, dagelijks toenemende kennis op hem uitoefent. Hij is niet meer bij machte alle openbaar wordende kennis te begrijpen en zich toe te eigenen, maar moet haar, ook al doorziet hij haar totaal niet, voor juist houden. Door deze attitude tegenover de wetenschappelijke waarheid komt hij in de verleiding zichzelf aan te praten, dat zijn inzicht ook in kwesties van het denken te kort schiet.

Zo dragen de tijdsomstandigheden er het hunne aan bij ons aan de tijdgeest uit te leveren.

Het zaad van het scepticisme is opgekomen. Feitelijk bezit de moderne mens geen geestelijk zelfvertrouwen meer. Achter een zelfverzekerd optreden verbergt hij een grote geestelijke onzekerheid. Ondanks alles wat hij in materieel opzicht presteert, slaat hij een steeds armzaliger figuur, omdat hij geen gebruik meer maakt van zijn vermogen om te denken. Het zal immer een raadsel blijven, dat onze op het gebied van weten en kunnen zo uitblinkende generatie geestelijk zo ver kon afzakken, dat het geen belang meer hechtte aan het denken.

In een cultuur die alles wat haar ook maar enigszins rationalistisch en vrijzinnig voorkomt, als belachelijk, inferieur, verouderd en reeds lang achterhaald ervaart en zelfs de spot drijft met de in de 18e eeuw geproclameerde onvervreemdbare rechten van de mens, wil ik doorgaan voor iemand, die vertrouwen stelt in het redelijke denken.
Ik durf onze generatie voor te houden, dat ze niet moet menen met het Rationalisme klaar te zijn, omdat het eerst voor de Romantiek en toen voor de belangenpolitiek, die het zowel op geestelijk als materieel terrein voor het zeggen kreeg – plaats moest maken. Wanneer we alle dwaasheden van deze universele belangenpolitiek doorgemaakt hebben en er in steeds diepere geestelijke en materiële misère door zijn geraakt, dan zal ons niets anders overblijven dan ons heil te zoeken bij een nieuw rationalisme, dat dieper gaat dan het vroegere en tot betere resultaten leidt.
Wie afziet van het denken, verklaart zichzelf geestelijk bankroet. Waar de overtuiging uitvalt, dat de mensen de waarheid al denkend kunnen verstaan, begint het scepticisme. Degenen, die onze tijd op deze manier in de scepsis trachten te dompelen, koesteren hierbij de verwachting, dat de mensen door af te zien van de door hen zelf erkende waarheid tot de aanvaarding zullen komen van wat hun autoritair en via propaganda als waarheid wordt opgedrongen.
Maar zij vergissen zich. Wie de sluizen openzet voor de stroom van het scepticisme, opdat deze zich meester zal

maken van het land, mag niet verwachten, dat hij hem later zal kunnen indammen. Slechts een klein gedeelte van degenen, die zich de moed laten ontnemen om door eigen denken achter de waarheid te komen, neemt z'n toevlucht tot geprefabriceerde waarheden. De massa zelf blijft sceptisch. Ze verliest het gevoel voor waarheid en heeft er geen behoefte meer aan. Ze neemt er genoegen mee onnadenkend voort te leven en tussen allerlei meningen heen en weer geslingerd te worden.
Maar ook het overnemen van een autoritaire waarheid van geestelijk of ethisch karakter maakt geen einde aan het scepticisme, doch dekt het alleen maar toe. De onnatuurlijke situatie, waarin iemand gelooft in een waarheid die hij zelf niet kan doorgronden, duurt voort en werkt door. De stad van de waarheid kan niet op de moerasbodem van het scepticisme gebouwd worden. Omdat ons geestelijk leven druipt van scepticisme, is het door en door voos. Daarom leven we in een wereld, die in elk opzicht leugenachtig is. We staan op het punt te gronde te gaan aan het feit, dat we ook de waarheid willen organiseren.
De overgenomen waarheid van het gelovig geworden scepticisme heeft niet de geestelijke kwaliteiten van de door het denken veroverde waarheid. Ze is veruiterlijkt en verstard. Ze is van invloed op de mensen, maar ze komt niet van binnenuit tot een innerlijke relatie met hen. Levende waarheid is alleen de waarheid, die aan het denken ontspruit. Zoals de boom jaar op jaar dezelfde vrucht voortbrengt – maar telkens zijn het weer nieuwe vruchten –, zo moeten ook alle ideeën van blijvende waarde steeds weer opnieuw in het denken geboren worden. Onze tijd doet echter een poging de onvruchtbare boom van het scepticisme vruchtbaar te maken door de vruchten van de waarheid aan zijn takken te binden.

Alleen door het vaste vertrouwen via ons individuele denken de waarheid te kunnen ontdekken zijn we geschikt, om waarheid in ons op te nemen. Het vrije denken, dat diepgang heeft, vervalt niet tot subjectivisme. Met behulp van de eigen ideeën brengt het díé ideeën in zich aan het licht, die in de traditie op de één of andere wijze als waarheid gelden en spant het zich in ze als inzicht te bezitten. Even sterk als de wil tot waarheid moet de wil tot waarachtigheid zijn. Slechts een tijd, die de moed tot waarachtigheid opbrengt, kan waarheid bezitten, die als een geestelijke kracht in hem werkt. Door haar geringschatting van het denken heeft onze generatie haar zin voor waarachtigheid en daarmee ook haar zin voor waarheid verloren. Het enige wat haar wezenlijk kan helpen is, dat men haar weer op de weg van het denken brengt. Omdat dit mijn overtuiging is, verzet ik mij tegen de geest van de tijd en neem ik vol vertrouwen de verantwoordelijkheid op mij betrokken te zijn bij het weer oprakelen van het vuur van het denken.

Reeds krachtens zijn karakter is het denken aangaande de eerbied voor het leven bijzonder geschikt de strijd tegen het scepticisme op te nemen. Dit denken is elementair.
Elementair is het denken, dat uitgaat van de fundamentele vragen aangaande de verhouding van de mens tot de wereld, de zin van het leven en het wezen van het goede. Het heeft een onmiddellijke relatie met het denken, dat in ieder mens opkomt. Het gaat er op in, verbreedt en verdiept het.
Dit elementaire denken ontmoeten we in het Stoïcisme. Toen ik als student mijn tocht door de geschiedenis van de filosofie begon, kostte het mij moeite me van het Stoïcisme los te maken en mijn weg te vervolgen in het

hierop aansluitende denken, dat zo'n volstrekt ander karakter had. Weliswaar was ik niet gelukkig met de uitkomsten van het Stoïcisme, maar ik had het gevoel, dat deze eenvoudige manier van filosoferen de juiste was en ik kon niet begrijpen, dat men haar opgegeven had. De grootheid van het Stoïcisme leek me hierin te zitten, dat het recht op z'n doel afgaat; dat het zowel algemeen toegankelijk als diepzinning is; dat het met de waarheid die zich aandient, ook al is deze onbevredigend, genoegen neemt; dat het deze waarheid door de ernst, waarmee het zich eraan overgeeft, leven inblaast; dat het de geest der waarachtigheid bezit; dat het de mensen aanzet tot concentratie en verinnerlijking en dat het verantwoordelijkheidsbesef in hen wekt. Ook zag ik de waarheid in van de grondgedachte van het Stoïcisme: dat de mens in een geestelijke verhouding tot de wereld moet komen en er één mee moet worden. Naar zijn essentie is het Stoïcisme natuurfilosofie, die tot mystiek komt.
Net als het Stoïcisme ervoer ik ook het denken van Lao-Tse, toen ik in aanraking kwam met zijn Tao-Te-King, als zeer elementair. Ook bij Lao-Tse gaat het er om, dat de mens door eenvoudige reflectie in een geestelijke betrekking tot de wereld komt en in z'n leven duidelijk blijk geeft van zijn één-wording met haar. Het Griekse en Chinese Stoïcisme zijn dus in wezen verwant. Ze onderscheiden zich alleen hierdoor van elkaar, dat het Griekse Stoïcisme ontstond in een ontwikkelde, logische filosofie, het Chinese in een onontwikkeld, maar wonderlijk diep, intuïtief denken.
Dit elementaire denken, dat zich zowel in de Europese als niet-Europese filosofie, voordoet, slaagt er echter niet in de leiding, die het toekomt, te behouden, maar moet die aan het niet-elementaire denken overdragen. Het zet zich niet door, omdat zijn resultaten niet bevredigen. Het weet geen zinvol antwoord te geven op de

drang tot activiteit en ethische daden, die in de wil tot leven van de geestelijk ontwikkelde mens aanwezig is. Zo komt het Griekse Stoïcisme niet verder dat het ideaal der berusting en blijft Lao-Tse bij het ons, Europeanen, zo merkwaardig tot de verbeelding sprekende ideaal van de lieflijke gelatenheid staan.
Eigenlijk draait het er in de hele geschiedenis van de filosofie steeds weer om, dat het van nature in de mens aanwezige besef van een ethische wereld- en levensaanvaarding zich niet tevreden kan stellen met het resultaat van het eenvoudige, logische denken over de mens en zijn verhouding tot de wereld, omdat het er geen verklaring in vindt. Derhalve noodzaakt het de reflectie omwegen in te slaan, in de hoop zo het gestelde doel te bereiken. Zo ontstaat naast het elementaire een veelvormig niet-elementair denken, dat het eerste omslingert en dikwijls totaal verhult.
De omwegen, die het denken inslaat, lopen voornamelijk in de richting van een wereldverklaring, die de wil tot ethisch handelen in de wereld als zinvol moet bewijzen. In het latere Stoïcisme van Epictetus en Marcus Aurelius, in het Rationalisme van de 18e eeuw en bij Kung-Tse (Confucius), Meng-Tse (Mencius), Mi-Tse (Micius) en andere Chinese denkers komt de filosofie, die van het elementaire probleem van de verhouding van de mens tot de wereld uitgaat, tot een ethische wereld- en levensaanvaarding, door het wereldgebeuren te herleiden tot een Wereldwil, die een ethisch doel nastreeft, en de mens in dienst van deze Wereldwil te stellen. In het denken van de Brahmanen, van Boeddha, evenals over het algemeen in de Indische systemen en in de filosofie van Schopenhauer wordt die andere wereldverklaring gepresenteerd, die er op neerkomt dat het zich in ruimte en tijd afspelende Zijn zinloos is en opgeheven moet worden. De zinvolle verhouding van de mens tot de

wereld dient er dus op gericht te zijn haarzelf en het leven te laten afsterven.
Parallel met dit denken, dat althans volgens z'n uitgangspunt en interesse elementair is gebleven, loopt, vooral in de Europese filosofie, een denken, dat alles behalve elementair is doordat het de vraag inzake de verhouding van de mens tot de wereld niet meer centraal stelt. Het houdt zich bezig met het kennis-theoretische probleem, met logische speculaties, met natuurwetenschap, met psychologie, met sociologie of met iets anders, alsof de filosofie met deze kwesties op zichzelf te maken had of haar functie alleen maar het schiften en samenvatten van de resultaten der diverse wetenschappen zou zijn. In plaats van de mens tot een duurzame reflectie over zichzelf en zijn verhouding tot de wereld te stimuleren, geeft deze filosofie hem uitkomsten van de kennistheorie, de logische speculatie, de natuurwetenschappen, de psychologie of de sociologie dóór als iets, dat normatief dient te zijn voor zijn visie op zijn leven en zijn verhouding tot de wereld. Ze confronteert hem hiermee alsof hij niet een wezen was dat bij de wereld hoort en in die wereld z'n leven leeft, maar naast die wereld staat en haar van terzijde beschouwt.
Omdat deze niet-elementaire Europese filosofie vanuit één of ander willekeurig gekozen vertrekpunt ingaat op het probleem van de verhouding van de mens tot de wereld – of eraan voorbijgaat –, heeft ze iets onsamenhangends, iets onrustigs, iets excentrieks en fragmentarisch over zich. Tegelijk is ze echter ook de meest rijke en universele filosofie. In haar op elkaar aansluitende of ook elkaar doorkruisende systemen, half-systematische en niet-systematische ontwerpen krijgt zij het probleem van de wereldbeschouwing in al z'n aspecten en in ieder mogelijk perspectief onder ogen. Ook is ze de meest zakelijke filosofie, in zoverre ze dieper ingaat op de

natuurwetenschappen, de geschiedenis en de vragen van de ethiek dan allerlei andere filosofieën.
De toekomstige wereldfilosofie zal niet zozeer ontstaan uit het gesprek tussen Europees en niet-Europees denken, alswel uit de dialoog tussen elementaire en niet-elementaire reflectie.
Terzijde van het geestesleven van onze tijd staat de mystiek. Krachtens haar wezen is ze een elementaire vorm van denken, omdat ze heel direct bezig is de mens in een geestelijke verhouding tot de wereld te brengen Maar ze twijfelt eraan of dit via het logische denken mogelijk is en trekt zich terug op het intuïtieve denken, waarin de fantasie zich kan ontplooien. In zekere zin is dus ook de huidige mystiek gebaseerd op een denken, dat kiest voor omwegen. Omdat we alleen maar door logische reflectie verkregen kennis voor waar kunnen houden, kunnen de in dergelijke mystiek geldende overtuigingen, gewoon door de manier waarop ze door haar geformuleerd en gemotiveerd zijn, niet ons geestelijk eigendom worden. Bovendien zijn ze op zichzelf genomen ook niet bevredigend. Van alle totnogtoe gepresenteerde mystiek moeten we zeggen, dat haar ethisch gehalte te gering is. Ze brengt de mens op de weg van de innerlijkheid, maar niet op de weg van de levende ethiek. De waarheid van een wereldbeschouwing moet zich hierin bewijzen, dat de geestelijke verhouding tot het Zijn en de wereld, waarin ze ons brengt, ons tot innerlijke mensen met een actieve ethiek maakt.
Tegen de oppervlakkigheid van onze tijd kan dus nóch het niet-elementaire denken, dat de omweg van de wereldverklaring inslaat, nóch het mystiek- intuïtieve denken iets uitrichten. Alleen het elementaire denken, dat het natuurlijke denken, waar zoveel mensen afzonderlijk deel aan hebben, serieus neemt en ontwikkelt, kan het scepticisme te boven komen. Het niet-elementaire

denken daarentegen, dat de mensen één of ander denkresultaat voorzet waar het hoe dan ook bij uitkwam, is niet in staat hen in hun eigen denkvermogen te stimuleren, maar ontneemt hun dit om er een andere reflectie voor in de plaats te geven. Dit overnemen van het denken van anderen betekent een verstoring en verzwakking van het eigen denken.
Het is een stap op weg tot het overnemen van de waarheid en daarmee een stap naar het scepticisme. Zo bereidden de in hun tijd met zoveel enthousiasme aangevatte grote systemen van de Duitse filosofie vanaf het begin van de 19e eeuw de bodem, waarop zich later het scepticisme ontwikkelde.
De mensen weer tot denken brengen betekent dus, ze weer de weg wijzen naar hun eigen denken, opdat ze daardoor het inzicht proberen te verwerven, dat ze voor hun leven nodig hebben. In de filosofie van de eerbied voor het leven vindt een vernieuwing van het elementaire denken plaats. De stroom, die een heel eind onderaards z'n weg ging, komt weer aan de oppervlakte.

Dat het elementaire denken thans tot de ethische wereld- en levensaanvaarding komt, waarvoor het zich vroeger tevergeefs inspande, is geen kwestie van zelfbedrog, maar hangt ermee samen dat het een zakelijk karakter kreeg. Vroeger benaderde het de wereld slechts als een allesomvattend gebeuren. Met dit totale gebeuren kan de mens in geen andere geestelijke relatie treden dan dat hij zijn natuurlijke onderworpenheid eraan door berusting geestelijk de baas tracht te worden. Aan zijn daden kan hij bij deze visie op de wereld geen zin geven. Door geen reflectie kan hij zich in dienst stellen van het allesomvattende gebeuren, dat hem verplettert. De weg tot de wereld- en levensaanvaarding en tot de ethiek is zo geblokkeerd voor hem.

Wat het elementaire denken, in de weg gestaan door deze starre en onvolledige interpretatie van de wereld, op natuurlijke wijze niet kan bereiken, tracht het dan, zij het tevergeefs, door één of andere wereldverklaring te forceren. Het lijkt op een rivier, die op haar gang naar de zee, door een gebergte wordt tegengehouden. Nu probeert het water via omwegen een uitweg te vinden. Tevergeefs. Het water belandt steeds in nieuwe dalen, die het vult. Na eeuwen slaagt de opgestuwde vloed er dan in door het gebergte heen te breken.
De wereld is niet alleen een gebeuren, maar ook leven. Tegenover het leven van de wereld heb ik mij, voor zover ik ermee in aanraking kom, niet alleen passief, maar ook actief op te stellen. Door mij in dienst te stellen van al het leven om mij heen, kom ik tot een zinvol, op de wereld toegespitst handelen.
De vervanging van de starre, doodse visie op de wereld door de werkelijke, van leven vervulde, lijkt eenvoudig en vanzelfsprekend, wanneer ze eenmaal achter de rug is. Toch was er een lange evolutie nodig om haar mogelijk te maken. Zoals het gesteente van een uit de zee opgerezen gebergte pas zichtbaar wordt, nadat de regen de kalklagen, die het bedekken, langzamerhand heeft afgespoeld, zo komt bij de vragen inzake de wereldbeschouwing het zakelijke denken pas te voorschijn, nadat de dikke laag onzakelijk denken, die er overheen ligt, verwijderd is.
De idee van eerbied voor het leven presenteert zich als het zakelijke antwoord op de zakelijk gestelde vraag, op welke manier mens en wereld op elkaar aangewezen zijn. Van de wereld weet de mens alleen, dat alles wat existeert – evenals hijzelf – een manifestatie van de wil tot leven is. Met deze wereld onderhoudt hij zowel een passieve als actieve relatie. Enerzijds is hij onderworpen aan het gebeuren, dat automatisch gegeven is met het

leven als zodanig; anderzijds is hij in staat het leven, waarmee hij in contact komt, te blokkeren of te bevorderen, te vernietigen of in stand te houden.
De enige mogelijkheid zijn bestaan zin te verlenen, is dat hij zijn natuurlijke verhouding tot de wereld transponeert in een geestelijke. Als wezen, dat alles passief ondergaat, komt hij door resignatie, berusting, in een geestelijke betrekking tot de wereld. Echte resignatie houdt in, dat de mens in zijn onderworpenheid aan het wereldgebeuren weet door te stoten tot de innerlijke vrijheid ten opzichte van de wederwaardigheden, die de buitenkant van zijn bestaan uitmaken. Innerlijke vrijheid wil zeggen, dat hij de kracht vindt alle problemen zó te boven te komen, dat hij daardoor verdiept, verinnerlijkt, gelouterd, stil en vreedzaam wordt. Resignatie is dus de geestelijke en ethische aanvaarding van het eigen bestaan. Alleen de mens, die door de resignatie is heengegaan, is in staat de wereld te accepteren.
Als actief handelend wezen komt hij in een geestelijke verhouding tot de wereld door zijn leven niet voor zichzelf te leven, maar zich met alle leven, dat binnen zijn horizon komt, één te weten. Hij voelt zich ten nauwste betrokken bij het wel en wee van dit leven, helpt het zoveel als hij maar kan, terwijl hij alles wat hij doet om het leven te bevorderen en te redden ervaart als het diepste geluk, dat hem ten deel kan vallen.
Wanneer de mens nadenkt over het geheimzinnige van zijn leven en de relaties die er bestaan tussen hem en het leven, dat de wereld vervult, dan moet hij wel zijn eigen leven en al het leven, dat binnen zijn bereik komt, met eerbied bejegenen en dit in een ethische wereld- en levensaanvaarding gestalte geven. Zijn bestaan wordt hierdoor in elk opzicht zwaarder dan toen hij voor zichzelf leefde, tegelijkertijd wordt het echter ook rijker, mooier en gelukkiger. Van een zomaar leven in het wilde

weg wordt het nu een werkelijk beleven van het leven. Op een heel directe en volstrekt dwingende wijze leidt het nadenken over leven en wereld tot eerbied voor het leven. Er zijn geen conclusies uit te trekken, die ook een andere kant zouden kunnen opgaan.
Wil de tot nadenken gekomen mens in het zomaar voortleven volharden, dan kan hij dit alleen, wanneer hij zich weer overgeeft aan de verdovende roes van onverschilligheid en onnadenkende nonchalance. Blijft hij het denken trouw, dan móét hij wel kiezen voor de eerbied voor het leven. Al het denken, waarvan de mensen beweren, dat het tot scepticisme of tot leven zonder ethische idealen zou leiden, is geen denken, maar slechts zich voor denken uitgevende onnadenkendheid – wat hieruit blijkt, dat het zich niet bezighoudt met het mysterieuze van het leven en de wereld.

De eerbied voor het leven behelst resignatie, wereld- en levensaanvaarding en ethiek – de drie voornaamste elementen van een wereldbeschouwing, als onderlingsamenhangende resultaten van het denken.
Totnogtoe waren er wereldbeschouwingen der berusting, wereldbeschouwingen der wereld- en levensaanvaarding en wereldbeschouwingen, die aan ethische criteria probeerden te beantwoorden. Geen enkele slaagde er echter in de drie elementen met elkaar te verenigen. Dit wordt pas mogelijk, wanneer alle drie geheel conform hun aard afgeleid worden uit de universele overtuiging van de eerbied voor het leven en wanneer men inziet, dat ze daar samen mee gegeven zijn. Resignatie en wereld- en levensaanvaarding leiden geen zelfstandig bestaan naast de ethiek, maar zijn er de diepe ondertonen van.
Geboren uit het rationele denken is de ethiek van de eerbied voor het leven rationeel en brengt ze de mensen

in een rationeel en duurzaam contact met de werkelijkheid.
Op het eerste gezicht kan het lijken, alsof eerbied voor het leven een té algemene en té weinig levende en concrete categorie is om de inhoud van een levende en concrete ethiek te kunnen uitmaken. Het denken behoeft zich er echter niet om te bekommeren of zijn bewoordingen levendig en concreet genoeg klinken, het enige waar het op aankomt is dat ze juist zijn en leven in zich herbergen. Wie onder de invloed komt van de ethiek van de eerbied voor het leven, zal heel gauw, door wat zij van hem verlangt, ontdekken welk vuur in die zo weinig levendige en concrete uitdrukking gloeit. De ethiek van de eerbied voor het leven is de in universele dimensies uitgebreide ethiek van de liefde. Zij is de als logisch noodzakelijk erkende ethiek van Jezus.
Er wordt ook op haar aangemerkt, dat ze een te grote waarde hecht aan het natuurlijke leven. Daarop kan ze reageren, dat het de fout van alle totnogtoe gepleegde ethiek was, dat ze het leven als zodanig niet erkend heeft als de geheimzinnige waarde, waarmee ze te maken heeft. Al het geestelijke leven komt ons in het natuurlijke leven tegemoet. De ethiek van de eerbied voor het leven betreft dus zowel het natuurlijke als het geestelijke leven. De man in de gelijkenis van Jezus redt niet de ziel van het verloren schaap, maar het hele schaap. Met de intensiteit van de eerbied voor het natuurlijke leven groeit de eerbied voor het geestelijke leven.
Uitermate vreemd vindt men het van de ethiek van de eerbied voor het leven, dat zij geen rekening houdt met het onderscheid tussen hoger en lager, waardevoller en minder waardevol leven. Ze heeft echter haar redenen dit onderscheid achterwege te laten.
De poging om algemeen geldende criteria te formuleren om de waarde van de verschillende soorten levende we-

zens vast te stellen, loopt er op uit dat we die levende wezens gaan bekijken op de mate waarin ze naar ons gevoel dichter of niet zo dicht bij ons schijnen te staan. Maar dit is een zuiver subjectieve maatstaf. Wie van ons weet welke betekenis een ander levend wezen op zichzelf en in het geheel van het wereldgebeuren heeft?
Als consequentie van deze onderscheiding ontstaat dan de overtuiging, dat er waardeloos leven is, dat men zonder meer mag aantasten en vernietigen. Onder waardeloos leven worden dan, afhankelijk van de omstandigheden, insectensoorten of primitieve volken verstaan.
Voor de werkelijk ethische mens is alle leven heilig, ook dat leven dat ons vanuit menselijk standpunt bekeken lager toeschijnt. Onderscheid maakt hij slechts van geval tot geval en door de nood gedreven – wanneer hij namelijk voor de beslissing gesteld wordt welk leven hij voor het behoud van een ander leven moet opofferen. Bij deze beslissing ten opzichte van ieder geval weer afzonderlijk realiseert hij zich, dat hij subjectief en willekeurig te werk gaat en de verantwoording voor dat opgeofferde leven heeft te dragen.
Ik ben erg gelukkig met de nieuwe middelen tegen slaapziekte, die het mij mogelijk maken leven te behouden, waar ik vroeger alleen maar werkeloos kon toezien hoe een smartelijk ziekteproces zich voortzette. Telkens echter, wanneer ik onder de microscoop de verwekkers van de slaapziekte voor me zie, heb ik het er weer moeilijk mee, dat ik dit leven moet vernietigen om ander leven te redden.
Ik koop van inboorlingen een jonge visarend, die zij op een zandbank vingen, en red hem zo uit hun wrede handen. Nu sta ik echter voor de volgende beslissing: laat ik hem verhongeren of dood ik dagelijks ettelijke visjes om hem in leven te houden? Ik kies voor het

laatste. Maar elke dag bezwaart het mij, dat op mijn verantwoording dit leven aan het andere wordt opgeofferd.
Met de ganse schepping onderworpen aan de wet van de innerlijke tweespalt in de wil tot leven, komt de mens telkens weer in de situatie dat hij zijn eigen leven, evenals het leven in het algemeen, alleen ten koste van ander leven kan handhaven. Gaat hij uit van de ethiek van de eerbied voor het leven, dan benadeelt en vernietigt hij leven alleen, wanneer de noodzaak daartoe onontkoombaar is – nooit onverschillig en nonchalant. Wanneer hij geen ingrijpende ethische beslissingen hoeft te nemen, zoekt hij naar de gelegenheid het geluk te smaken, leven bij te staan en voor lijden en vernietiging te behoeden.
De universele ethiek van de eerbied voor het leven laat duidelijk zien, dat het zo vaak voor sentimentaliteit uitgemaakte medelijden met dieren iets is, waar geen redelijk denkend mens aan kan ontkomen. Dit verheugt mij – vanaf m'n jeugd sterk geporteerd voor de beweging van de dierenbescherming – buitengewoon. Totnogtoe toonde de ethiek voor het probleem mens-dier geen enkel begrip- óf ze was er totaal verlegen mee. Ook wanneer ze medelijden met het schepsel als juist beschouwde, kon ze dit toch niet in haar systeem integreren, omdat ze zich eigenlijk alleen maar concentreerde op de verhouding tussen mens en medemens.
Wanneer zal de tijd aanbreken, dat de publieke opinie geen volksvermaak meer tolereert, dat uit de mishandeling van dieren bestaat!
De in het denken ontstane ethiek is dus niet 'verstandig', maar irrationeel en enthousiast. Ze steekt geen handig afgemeten perk van plichten af, maar belast de mens met de verantwoordelijkheid voor alle leven, waarmee hij in aanraking komt, en dwingt hem zich helpend aan dat leven over te geven.

Een diepgaande wereldbeschouwing is in zoverre mystiek, als ze de mens in een geestelijke verhouding tot het Oneindige brengt. De wereldbeschouwing van de eerbied voor het leven is ethische mystiek. Ze laat het één-worden met het Oneindige zich door een ethische daad voltrekken. Deze ethische mystiek ontstaat in het logische denken. Komt onze wil tot leven tot reflectie over zichzelf en de wereld, dan ervaren wij op een gegeven moment het leven van de wereld, voor zover wij ermee te maken krijgen, als óns leven en proberen wij onze wil tot leven door daden in dienst te stellen van de oneindige wil tot leven. Onvermijdelijk eindigt rationeel denken, wanneer het genoeg diepgang heeft, in het irrationele van de mystiek. Het heeft immers van doen met het leven en de wereld – beide irrationele grootheden.

In de wereld openbaart de oneindige wil tot leven zich als de Schepperswil, die voor ons vol duistere en smartelijke raadsels is; in óns als de wil der liefde, die via ons de tweespalt in de wil tot leven opheffen wil.

De wereldbeschouwing van de eerbied voor het leven heeft dus een religieus karakter. Wie haar aanhangt en in praktijk brengt, is op een elementaire wijze vroom.

Door haar religieus geaarde, actieve ethiek der liefde en door haar innerlijkheid is de wereldbeschouwing van de eerbied voor het leven in wezen verwant met de wereldbeschouwing van het Christendom. Derhalve is het mogelijk, dat het Christendom en het denken in een andere verhouding tegenover elkaar komen te staan – een voor het geestelijk leven veel vruchtbaarder verhouding dan totnogtoe.

Reeds één keer eerder, in de tijd van het Rationalisme van de 18e eeuw, ging het Christendom met het denken een relatie aan. Het deed dit, omdat het denken het toen met een enthousiaste, religieus geaarde ethiek tege-

moetkwam. In werkelijkheid echter had het denken deze ethiek allerminst zelf geproduceerd, maar onbewust van het Christendom overgenomen. Toen het denken zich daarna tot z'n eigen ethiek moest beperken, bleek deze zo weinig vitaal en zo weinig religieus, dat ze met de christelijke ethiek niet veel gemeen had. Zo werden de banden tussen het Christendom en het denken losser en losser en verdwenen tenslotte.
Momenteel is het zo, dat het Christendom zich geheel en al op zichzelf heeft teruggetrokken en alleen nog maar bezig is met de verkondiging van z'n eigen ideeën. Het hecht er geen belang meer aan duidelijk te maken, dat deze ideeën in overeenstemming zijn met het denken, maar probeert ze aan de man te brengen als iets, dat buiten en boven het denken staat. Daarmee verliest het echter alle contact met het actuele geestelijke leven en ontbeert het de mogelijkheid dit actief te beïnvloeden.
Nu de wereldbeschouwing van de eerbied voor het leven zich presenteert, komt het Christendom opnieuw voor de vraag te staan, of het wel of niet in dialoog wil treden met het ethisch en religieus geaarde denken.
Het Christendom heeft het denken nodig om zich bewust te worden van z'n identiteit. Eeuwenlang droeg het als overgeleverde waarheid de geboden van liefde en barmhartigheid in z'n vaandel, zónder zich op grond van deze geboden te verzetten tegen de slavernij, de heksenverbranding, de pijnbank en zoveel andere antieke en middeleeuwse onmenselijkheden. Pas toen het beïnvloed werd door het denken van de eeuw der Verlichting, begon het de strijd voor de humaniteit. Deze herinnering moest het voor altijd behoeden het denken hoe dan ook aan de kant te zetten.
Met graagte heeft men het tegenwoordig alleen maar over de 'vervlakking', die het Christendom in de eeuw

van het Rationalisme zo sterk onderging. Maar het zou een kwestie van eerlijkheid zijn, dat men toegaf hoe deze vervlakking dank zij dat Christendom weer ongedaan werd gemaakt. Thans is de pijnbank weer ingesteld. In de meeste landen wordt door de justitie stilzwijgend getolereerd, dat vóór en naast het eigenlijke gerechtelijke optreden van politie- en gevangenisbeambten de meest gruwelijke martelingen worden toegepast om aangeklaagden een bekentenis af te dwingen. Men kan zich niet voorstellen hoeveel ellende hierdoor uur na uur wordt doorstaan. Met geen woord – om van daden maar te zwijgen – protesteert het huidige Christendom tegen de terugkeer van de pijnbank – zoals het ook nauwelijks protest aantekent tegen het moderne bijgeloof. En wanneer het Christendom ertoe over zou gaan al datgene, wat het Christendom van de 18e eeuw aanpakte, opnieuw te ondernemen, dan zou het dit toch niet kunnen realiseren, omdat het z'n macht over de geest des tijds heeft verloren.
Dat het geestelijk en ethisch zo bitter weinig voorstelt, maskeert het Christendom door alle nadruk te leggen op het feit, dat het als kerk z'n uiterlijke positie in de wereld elk jaar krachtiger weet uit te bouwen. In een nieuw soort verwereldlijking conformeert het zich aan de tijdgeest. Evenals de andere georganiseerde instituten is het er op uit, zich door een steeds sterkere en uniformere organisatie als historisch en feitelijk gegeven grootheid te poneren en te bevestigen. Naarmate z'n uiterlijke macht groeit, wordt z'n geestelijke invloed kleiner.
Het Christendom kan het denken niet vervangen; het denken is juist een conditie voor het Christendom.
Vanuit zichzelf is het niet in staat de onverschilligheid en het scepticisme meester te worden. Alleen díé tijd staat open voor het onvergankelijke van zijn ideeën, die de aan het denken ontspringende elementaire vroomheid

bevat. Zoals een rivier, om niet zonder water te raken, door een ondergrondse stroom gevoed moet worden, zo moet het Christendom gedragen en gevoed worden door de ondergrondse stroom van elementaire, rationele vroomheid. Het krijgt pas werkelijk geestelijke zeggenschap, wanneer de weg, die van het denken tot religie voert, voor de mensen niet geblokkeerd is.

Van mijzelf weet ik, dat ik door denken religieus en christelijk bleef.

De denkende mens staat vrijer tegenover de doorgegeven religieuze waarheid dan de niet-denkende mens; maar het diepe en onvergankelijke, dat zij behelst, beseft hij veel heviger dan deze.

Het wezenlijke van het Christendom, zoals het door Jezus verkondigd is en door het denken wordt begrepen, is dat we alleen door de liefde in gemeenschap met God kunnen komen. Alle levende Godskennis heeft tot achtergrond, dat wij Hem als wil tot liefde in onze harten ervaren.

Wie heeft ingezien, dat de idee van de liefde de geestelijke lichtstraal is, die uit de oneindigheid tot ons komt, houdt ermee op van de religie te verlangen, dat zij hem volledig informeert over het bovenzinnelijke. Wel houden de grote vragen hem bezig, wat het kwaad in de wereld betekent; hoe in God, de oergrond van het Zijn, de Scheppers-wil en de liefde-wil één zijn; in welke verhouding het geestelijke en materiële leven tot elkaar staan en op welke wijze ons bestaan vergankelijk en toch ook onvergankelijk is. Maar hij berust erin af te moeten zien van een passend antwoord – hoe smartelijk dit ook voor hem is. In het besef, dat hij door de liefde geestelijk in God existeert, bezit hij het ene nodige.

'De liefde vergaat nimmermeer, maar aan de kennis zal een einde komen', aldus Paulus.

Hoe dieper de vroomheid is, des te bescheidener is ze

ten opzichte van de kennis van het bovenzinnelijke. Ze is als de weg, die tussen hoogten door voert en niet er bovenuit.
De vrees, dat het Christendom, door zich in te laten met de uit het denken voortkomende vroomheid, tot het pantheïsme zou vervallen, is ongegrond. Pantheïstisch is elk levend Christendom in zoverre, dat het alles wat existeert geworteld moet zien in de oergrond van alle Zijn. Tegelijkertijd echter overstijgt iedere ethische vroomheid alle pantheïstische mystiek, doordat ze de God van de liefde niet in de natuur vindt, maar alleen van Hem weet in zoverre Hij zich als wil tot liefde in ons openbaart. De oergrond van het Zijn, zoals die zich in de natuur manifesteert, ervaren wij steeds als iets onpersoonlijks. De oergrond van het Zijn echter, die zich als wil tot liefde in ons openbaar maakt, wordt voor ons een ethische persoonlijkheid. Het theïsme staat niet tegenover het pantheïsme, maar verheft zich eruit als het ethisch gekwalificeerde uit het volgens de natuur ongekwalificeerde.
Ongegrond is ook het bezwaar, dat het door het denken gestempelde Christendom de mens niet meer voldoende bij z'n zondigheid zou bepalen. Niet daar, waar het meest over zondigheid wordt gesproken, wordt de mens er het hevigst mee geconfronteerd. De Bergrede rept er nauwelijks over. Maar de zaligsprekingen werden door het hartstochtelijke verlangen naar bevrijding van zonden en reinheid van hart, dat Jezus erin legde, dé grote boetepreek, die permanent haar appèl uitoefent op de mens.
Wanneer het Christendom zich er door welke tradities en overwegingen dan ook van laat afhouden zich in het ethisch-religieuze denken te spiegelen, dan is dat een ramp én voor het Christendom zelf én voor de mensheid.

Wat het Christendom behoeft: dat het geheel vervuld is van de geest van Jezus en zich daarin vergeestelijkt tot de levende religie der verinnerlijking en der liefde, die het van oorsprong zo duidelijk is. Slechts zo kan het Christendom het zuurdeeg worden van het geestelijk leven der mensheid. Wat zich sinds 19 eeuwen in de wereld als Christendom aandient, is slechts een begin van Christendom, vol zwakheden en dwalingen – het lijkt nog niet op het volle Christendom, dat leeft uit de geest van Jezus.

Omdat ik innig verknocht ben aan het Christendom, probeer ik het zo trouw en waarachtig mogelijk te dienen. Ik pieker er niet over om het met de kromme en gammele redeneringen van de christelijke apologetiek te verdedigen, maar spoor het aan zich in de geest der waarheid open te stellen voor z'n verleden en voor het denken, opdat het zich daardoor bewust wordt van z'n ware wezen.

Ik hoop van harte, dat het elementaire, naar de ethisch-religieuze idee van de eerbied voor het leven tenderende denken ertoe bij zal dragen het Christendom en het denken nader tot elkaar te brengen.

Op de vraag, of ik pessimistisch of optimistisch ben, antwoord ik, dat mijn kennen pessimistisch, maar mijn willen en hopen optimistisch is.

Mijn pessimisme hangt samen met het feit, dat ik het naar ons gevoel zinloze van het wereldgebeuren in z'n volle zwaarte besef en doorleef. Slechts heel zelden schiep ik werkelijk vreugde in mijn bestaan. Ik móést me al het lijden, dat ik om me heen zag, wel permanent aantrekken, niet alleen het lijden van mensen, maar ook van al het geschapene. Ik heb nooit geprobeerd aan dit medelijden te ontkomen. Het leek mij vanzelfsprekend toe, dat wij allen de last van het lijden, die op de wereld

drukt, moeten helpen meedragen. Reeds in mijn gymnasiumtijd was het mij duidelijk, dat geen verklaring van het kwaad in de wereld mij ooit zou kunnen bevredigen, maar dat alle verklaringen uitdraaiden op spitsvondigheden, die eigenlijk niets anders bedoelden dan het de mensen mogelijk te maken wat minder gebukt te gaan onder de ellende om hen heen. Dat een denker als Leibniz z'n toevlucht kon nemen tot de armetierige these, dat deze wereld weliswaar niet goed was, maar toch de beste van alle mogelijke werelden, is mij steeds volstrekt onbegrijpelijk gebleven.
Hoezeer het probleem van het lijden in de wereld mij ook bezighield, ik bleef er niet eindeloos over tobben, maar klampte mij vast aan de gedachte, dat het ieder van ons gegeven is iets van dit lijden op te heffen. Zo drong het geleidelijk tot mij door, dat het enige wat we uit dit probleem kunnen leren is, dat we onze weg hebben te gaan als mensen, die verlossing willen brengen.
Ook ben ik pessimistisch in de beoordeling van de situatie, waarin de mensheid zich op dit moment bevindt. Ik kan mezelf niet wijs maken, dat het er minder ernstig met haar voorstaat dan het lijkt – integendeel, ik ben er diep van overtuigd, dat we ons op een weg bevinden die, wanneer we erop verder gaan, ons in een nieuw soort Middeleeuwen zal doen belanden. De geestelijke en materiële ellende, waarin de mensheid zich door haar afwijzing van het denken en de uit het denken voortkomende idealen stort, staat mij in al haar verschrikkingen scherp voor ogen. Toch blijf ik optimistisch. Als een onvervreemdbaar kindergeloof heb ik het geloof in de waarheid behouden. Ik heb het vaste vertrouwen, dat de uit de waarheid geboren geest sterker is dan de macht der omstandigheden. Naar mijn mening wacht de mensheid geen ander lot dan het lot, dat zij zich door haar mentale instelling zélf bezorgt. Daarom geloof ik niet, dat zij de

weg naar de ondergang tot het einde toe hoeft te gaan. Doen er zich mensen voor, die zich verzetten tegen de geest van de onverschilligheid en als personen zuiver en diep genoeg zijn om de idealen van de ethische vooruitgang krachtig uit te stralen, dan wordt een geest vaardig, die inspirerend genoeg is om de mensheid tot een nieuwe mentaliteit te bezielen.

Omdat ik vertrouw op de kracht van de waarheid en van de geest, geloof ik in de toekomst der mensheid. De ethische wereld- en levensaanvaarding bevat een optimistisch willen en hopen, waarvan het nimmer afstand zal doen. Daarom huivert zij er niet voor de treurige werkelijkheid te zien zoals ze is.

Zoveel zorg, gebrek en verdriet zijn mij in mijn eigen leven ten deel gevallen, dat ik er met een zwakker zenuwgestel onder bezweken zou zijn. Diep ga ik gebukt onder de last van moeheid en verantwoordelijkheid, die mij al zovele jaren onafgebroken bezwaart. Genieten van m'n leven doe ik nauwelijks meer – zelfs niet de uren, die ik aan vrouw en kind zou willen wijden.

Als goede gaven zijn mij geschonken, dat ik in dienst van de barmhartigheid mag staan; dat mijn werk resultaat heeft; dat ik veel liefde en hartelijkheid van mensen ondervind; dat ik trouwe assistenten heb, die mijn arbeid als de hunne beschouwen; dat ik over een goede gezondheid beschik, die mij in staat stelt de meest inspannende arbeid te verrichten; dat ik een stabiele natuur heb en een rustig en beheerst zich ontplooiende energie en dat ik alle geluk, dat mij overkomt, ook als zodanig ervaar en accepteer als iets, waarvoor ik offers van dankbaarheid heb te brengen.

Het treft mij diep, dat ik als een vrij mens mag werken in een tijd, waarin zovelen veroordeeld zijn tot een deprimerende onvrijheid – en ook, dat ik bij m'n materiële werk tegelijk geestelijke arbeid mag verrichten. Dat mijn

levensomstandigheden in zoveel opzichten een gunstige voorwaarde vormen voor mijn arbeid, aanvaard ik als iets, dat ik mij waardig moet tonen.
Hoeveel zal ik nog voltooien van de arbeid, die ik mij voornam?
Mijn haar wordt al grijs. Mijn lichaam begint de last der jaren en de zware inspanningen, die ik ervan vergde, te voelen.
Dankbaar kijk ik terug op de tijd, waarin ik zonder mijn krachten te hoeven sparen onvermoeibaar lichamelijke en geestelijke arbeid mocht verrichten. Kalm en deemoedig wacht ik de tijd af, die komt – opdat ik, als het zover is, niet onvoorbereid ben wanneer ik van één en ander afstand zal moeten doen. Al werkend en lijdend hebben wij blijk te geven van de krachten, waarover zíj beschikken, die de vrede hebben bereikt, die alle verstand te boven gaat.

Lambarene, 7 maart 1931

BRONVERMELDING

1. Het ontstaan van de leer van de eerbied voor het leven en haar betekenis voor onze cultuur – uit: Die Lehre von der Ehrfurcht vor dem Leben, Verlag C. H. Beck, München, 1966.
2. Eerste preek over de eerbied voor het leven – uit: Gesammelte Werke in fünf Bänden, Band 5, Verlag C. H. Beck, München.
3. Tweede preek over de eerbied voor het leven – uit: Gesammelte Werke in fünf Bänden, Band 5, Verlag C. H. Beck, München.
4. De culturele crisis en haar geestelijke oorzaken – uit: Kultur und Ethik, Gesammelte Werke in fünf Bänden, Band 2, Verlag C. H. Beck, München.
5. Ethiek der toewijding en ethiek der zelfvervolmaking – uit: Kultur und Ethik, Gesammelte Werke in fünf Bänden, Band 2, Verlag C. H. Beck, München.
6. De ethiek van de eerbied voor het leven – uit: Kultur und Ethik, Gesammelte Werke in fünf Bänden, Band 2, Verlag C. H. Beck, München.
7. Filosofie en dierenbescherming – uit: Die Lehre von der Ehrfurcht vor dem Leben, Verlag C. H. Beck, München, 1966.
8. Het probleem van de ethiek in de ontwikkeling van het menselijk denken – uit: Die Lehre der Ehrfurcht vor dem Leben, Union Verlag, Berlin, 1967.
9. Het probleem van de vrede in de wereld van vandaag – uit: Die Lehre von der Ehrfurcht vor dem Leben, Verlag C. H. Beck, München, 1966.
10. Epiloog – uit: Aus meinem Leben und Denken, Gesammelte Werke in fünf Bänden, Band 1, Verlag C. H. Beck, München.